3 글립스 매뉴얼

KB185998

글립스 타입 디자인: 글립스 매뉴얼
노은유 × 함민주 지음

초판 1쇄 발행 2022년 8월 26일
2쇄 발행 2022년 10월 15일

발행. 워크룸 프레스
편집. 민구홍, 김한아, 박활성
디자인. 유현선
제작. 세걸음

워크룸 프레스
03035 서울특별시 종로구 자하문로19길 25, 3층
전화 02-6013-3246
팩스 02-725-3248
이메일 wpress@wkrm.kr
workroompress.kr

ISBN 979-11-89356-79-8 04600
ISBN 979-11-89356-76-7 (세트)

3 글립스 매뉴얼

3.1 글립스란

글립스는 글자를 디자인해 폰트로 제작할 수 있는 프로그램으로, 다양한 종류의 오픈타입 폰트*를 만들 수 있다. 독일의 글꼴 디자이너이자 개발자인 게오르크 자이페르트(Georg Seifert)가 2011년 발표했고, 현재 라이너 에리히 샤이헬바우어(Rainer Erich Scheichelbauer)와 회사를 공동 운영한다. 글립스는 혁신적인 폰트 제작 방식으로 주목받았다. 기존의 폰트 제작 프로그램은 편집할 때 하나의 글리프만 볼 수 있는 것과 달리 글립스는 단어 또는 문장 단위로 보면서 동시에 편집할 수 있는 게 가장 큰 차이점이다. 라틴뿐 아니라 아랍, 아시아 문자 디자인 및 폰트 제작에 편리한 기능을 많이 제공한다. 특히 동아시아 문자를 위해 개발했다는 '스마트 컴포넌트' 기능은 컴포넌트를 다른 글리프 안에 불러와 조정할 수 있는 기능으로, 같은 자소를 크기와 굵기를 조정해 반복 사용하는 한글 디자인에 효율적으로 사용할 수 있다. 단 맥 OS만 지원하고, 오래된 폰트 포맷**은 지원하지 않는다. 최근 한국어를 지원하기 시작했고, 한글 디자인 튜토리얼을 업데이트했다. 국내에도 글립스 사용자들이 늘어나는 추세다.

이 책에서는 2020년 11월 출시된 글립스 3***에 집중해 기능을 소개했다. 글립스 2에서 작업한 파일은 글립스 3와 호환되지만, 버전에 따라 자동 정렬 설정이 변경될 수 있으므로 주의해야 한다. 글립스 3에서 작업한 파일은 폰트 정보 → 기타 탭 → 파일 저장에서 버전을 2로 변경해 저장하면 글립스 2와 호환된다.

* 글립스에서 지원하는 폰트 포맷: OpenType/CFF(Compact Font Format, 확장자 otf), OpenType/TT(TrueType, 확장자 ttf), 웹폰트 포맷 WOFF 및 WOFF2(Web Open Font Format, 확장자 woff, woff2), EOT(Embeddable OpenType, 확장자 eot).

** 글립스에서 지원하지 않는 폰트 포맷: 프리-오프타입(pre-OpenType), 프리-유니코드 TTFs(pre-Unicode TTFs), 포스트스크립트 타입 1 (PostScript Type 1 fonts)

*** 글립스 3 라이선스를 보유한 경우 2020년 6월 1일 이후 구매자는 글립스 2를 무료로 업데이트할 수 있으며 이전 구매자는 할인된 가격으로 업데이트 라이선스를 구매할 수 있다. 교육용 라이선스도 지원한다. 참고로 글립스 2와 3는 별도의 프로그램으로 인식되므로 글립스 2를 업데이트할 때 글립스 3로 '덮어쓰기' 되는 게 아니고 두 버전을 모두 보유할 수 있다.

글립스 2와 호환하기
폰트 정보[Cmd-I] →
기타 탭 →
버전 2로 변경해 파일 저장

설치

글립스는 최소 맥 OS X 10.9.5 매버릭스(Mavericks) 버전부터
사용할 수 있다. 글립스 공식 웹사이트(https://glyphsapp.com/
buy)에서 30일 동안 사용 가능한 시험 버전을 제공한다.
별도의 설치 과정 없이, 내려받은 파일을 맥의 애플리케이션
폴더(Applications)에 옮긴 뒤 더블클릭해 실행한다. 라이선스를
구매한 경우 내려받은 라이선스 파일을 더블클릭하거나 글립스
아이콘 위로 드래그하면 라이선스가 활성화한다.

글립스 미니

글립스 미니는 글립스의 라이트 버전으로 가격이 더 저렴한
대신 풀 버전의 기능을 모두 지원하지는 않는다. 로고타입이나
딩뱃(dingbat) 제작용 등으로 간단하게 사용할 경우에만
추천한다. 예컨대 플러그인(plugins), 글리프 레이어
(glyph layers), 멀티플 마스터(multiple masters), 파이선
스크립팅(Python scripting), 커스텀 오픈타입 피처 코드
(custom OpenType feature code), 커스텀 파라미터(custom
parameters), 코너(corner), 캡(cap), 스마트 컴포넌트(smart
components), 매뉴얼 힌팅(manual hinting) 같은 기능이
지원되지 않는다.

커뮤니티

글립스에 관해 질문이나 제안이 있다면 글립스 웹사이트에서
운영하는 포럼 게시판(https://forum.glyphsapp.com)을
활용하는 게 좋다. 글립스 포럼은 전 세계의 글립스 사용자가
의견을 공유하는 게시판이다. 글립스 개발자뿐 아니라 활발하게
활동하는 다른 사용자들이 신속하게 답변해 준다. 포럼의 글은
대부분 영어로 되어 있지만, 한국어로 작성해도 된다. 게시판에
바로 질문을 적기보다는 이전에 비슷한 질문이 올라온 적이
있었는지 검색해 보자.

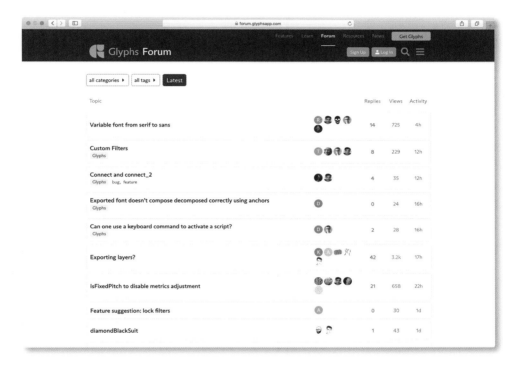

오류 보고

글립스 사용 중 갑자기 오류가 발생하면 글립스 관리자에게
적극적으로 보고하는 게 좋다. 코멘트 란에 오류가 발생한 배경을
구체적으로 적으면 차후 글립스 업데이트에 반영될 수 있다.

3.2 환경 설정
Preferences

글립스를 설치했다면 아이콘을 더블클릭해 실행해 보자.
본격적인 작업에 앞서 Glyphs → 환경 설정(Preferences)에서
글립스 업데이트, 사용자 설정, 단축키 설정 등을 할 수 있다.

환경 설정
Glyphs→
환경 설정[Cmd-쉼표]

업데이트

글립스는 크고 작은 업데이트가 잦은 편이다. 업데이트에는
'일반 업데이트'와 '커팅 에지(Cutting Edge)'가 있다.
단, 커팅 에지는 시험 버전이므로 불안정할 수 있다. 상단 메뉴의
Glyphs → 새 업데이트 확인(Check for Updates)에서도
새로운 버전을 확인할 수 있다.

업데이트 확인
Glyphs→
새 업데이트 확인

팁: 업데이트 후에 글립스
이전 버전을 다시 사용하려면
휴지통에서 복원한다.

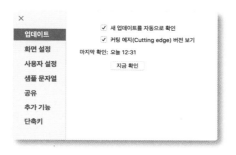

화면 설정

화면 설정 탭에서는 폰트뷰와 편집뷰의 작업 환경을 설정할 수 있다.

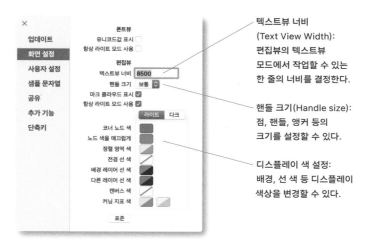

텍스트뷰 너비
(Text View Width):
편집뷰의 텍스트뷰
모드에서 작업할 수 있는
한 줄의 너비를 결정한다.

핸들 크기(Handle size):
점, 핸들, 앵커 등의
크기를 설정할 수 있다.

디스플레이 색 설정:
배경, 선 색 등 디스플레이
색상을 변경할 수 있다.

사용자 설정

가져온 파일의 글리프 이름 유지

(Keep glyph names from imported files)

다른 폰트 제작 프로그램에서 이미 제작된 작업 파일을
글립스에서 열 때 기존의 글리프 이름을 그대로 유지하는
기능이다. 프로그램마다 글리프 이름 체계가 다른 경우가

있으므로 공동 작업을 할 경우 유용하다. 예컨대 글립스에서는
'가' 글리프의 이름으로 'ga-ko'를 사용하는데, 로보폰트
(RoboFont)에서는 유니코드에 할당된 'uniAC00'를 사용한다.
이 항목을 체크하고 로보폰트에서 작업한 파일을 글립스로
불러오면 로보폰트 글리프 이름(유니코드)을 그대로 유지할 수
있다. 체크하지 않으면 글립스의 이름 체계를 따라 변경된다.

가져온 파일의 자동 정렬 비활성화

(Disable Automatic Alignment for imported files)

기존 파일을 열 경우 '자동 정렬' 기능을 해제하는 기능이다.

Disable Localization

영문판을 사용할 수 있는 기능이다. 체크하지 않으면 컴퓨터 환경
설정의 지역 언어로 변경된다.

Use Versions (new saving behavior in Lion)

파일을 일정한 시간 간격으로 자동 저장해 주는 기능이다.

샘플 문자열

자주 사용하는 샘플 텍스트를 저장할 수 있다. 구조별 텍스트, 글자 사이와 커닝 점검용 텍스트처럼 평소에 자주 쓰는 샘플 텍스트를 저장해 두면 좋다. 저장된 샘플 텍스트를 불러오려면 편집뷰 상단 메뉴에서 편집 → 샘플 텍스트 선택(Select Sample Text)을 클릭한다.

샘플 텍스트 불러오기
편집 →
샘플 텍스트 선택
[Opt-Cmd-F]

단축키 설정

효율적인 작업 환경을 위해 단축키는 필수다. 글립스에서 제공하는 기본 단축키 외에 추가로 단축키를 설정할 수 있다. 맥 OS의 시스템 단축키와 중복되지 않도록 주의해야 한다.

3.3 폰트뷰
Font View

글립스를 실행하면 '글리프 세트 창'에서 문자를 언어별로
선택할 수 있다. 언어를 선택한 뒤❶ 오른쪽 위의 글리프 추가를
활성화한 다음❷ 원하는 글리프 세트를 체크하고❸ 오른쪽
아래의 도큐먼트 만들기(Create Document)를 클릭해❹
새 파일을 연다. 상단 메뉴의 파일 → 새 파일(New File)을
클릭해 열 수도 있다. 작업 파일이 열린 뒤 다른 언어를 추가하려면
폰트뷰 왼쪽의 언어 카테고리 옆의 +를 클릭해 추가한다.

새 파일 만들기
파일 →
새 파일[Cmd-N]

새 파일을 열면 처음 보이는 '폰트뷰'는 전체 글리프를 추가,
삭제하거나 관리할 수 있는 창으로, 왼쪽의 '카테고리', '언어',
'필터'와 '글리프 정보', 가운데의 '글리프 리스트', 오른쪽의
'팔레트'로 구성된다.

폰트뷰(Font View)

그리드뷰　리스트뷰

글리프

폰트 정보

글리프 검색

카테고리

언어

필터

글리프 정보

필터 편집

글리프 리스트

글자, 라틴

A		Aacute		Acircumflex		Adieresis
B		C		Ccedilla		D
Edieresis		Egrave		F		G
Icircumflex		Idieresis		Igrave		J
N		Ntilde		O		Oacute

Q▾ 검색

전체

카테고리
▶ A 글자
▶ 9 숫자
▶ ⋯ 구분 기호
▶ ? 문장부호
▶ ¶ 심볼
▼ ⋰ 마크
　　조합　　　　　8
　　Modifier　　　0
　　Legacy　　　0/13
　기타　　　　　　0

언어　　　　　　　+
▶ र 데바나가리 문자
▶ G 라틴
▶ ض 아랍 문자
▶ あ 일본어
▶ 字 중국어
▶ Я 키릴 문자
▶ ∩ 타이 문자
▶ 한 한국어

필터
⚙ Exporting gl... 144
⚙ Incompatible... 0
⚙ Metrics out of... 0

다중 값
0 ╫ 0
600
커닝 그룹
왼쪽 커닝 그룹 (비어있는)
오른쪽 커닝 그룹 (비어있는)
내보내기 ✓
✕ ●●●●●●●
　●●●●●●●
태그
▶　유니코드 다중 값
⚙ ▾

+ −

8 선

grave	Aring	Atilde	AE
Eth	E	Eacute	Ecircumflex
H	I	IJ	Iacute
acute	K	L	M
cumflex	Odieresis	Ograve	Oslash

Reporters
Edit
픽셀 미리보기
Global Glyph

▼ 치수

▼ 곡선 맞춤
30% 75%

▼ 레이어
Regular

▶ 변형

팔레트

그리드뷰와 리스트뷰

폰트뷰는 '그리드뷰'와 '리스트뷰' 두 가지 방법으로 글리프를
볼 수 있다. 그리드뷰에서는 글자의 형태를 작은 이미지로 미리
볼 수 있고, 리스트뷰는 유니코드, 글자 너비, 카테고리 등을
한눈에 확인할 수 있다. 하나 또는 복수의 글리프를 선택해
더블클릭하면 편집뷰로 전환되며, 상단의 '폰트' 탭을 클릭해
다시 폰트뷰로 돌아올 수 있다.

3.3

폰트뷰의 '그리드뷰'에서는 여러 개 글리프를 동시에 선택할 수
있다. 연달아 있는 글리프를 동시에 선택하려면 [Shift]를 누른
상태에서 첫 번째 글리프와 마지막 글리프를 차례로 클릭한다.
따로 떨어진 글리프를 동시 선택하려면 [Cmd]를 누른 상태에서
하나씩 선택한다.

그리드뷰

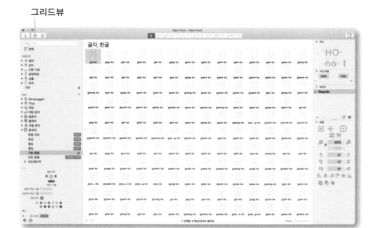

리스트뷰

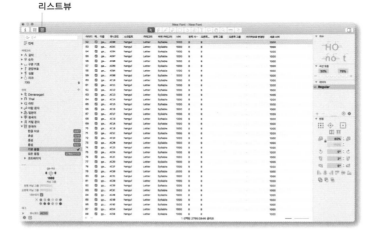

글리프 검색

폰트뷰 왼쪽 상단의 '글리프 검색'을 활용하면 원하는 글리프를
쉽게 찾아볼 수 있다. 검색 창의 돋보기 모양을 클릭하면 글리프
이름, 유니코드 등 검색 세부 설정이 가능하다.

목록/스마트 필터

많은 양의 글리프를 작업할 경우 폰트뷰 왼쪽 아래의 '필터'
기능을 활용하면 원하는 글리프 그룹 목록을 만들어 작업할 수
있다. 폰트뷰 왼쪽 아래 톱니바퀴를 클릭하면 필터 추가 옵션을
볼 수 있다.

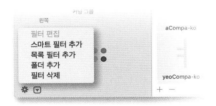

'스마트 필터(Smart Filter)'는 특정 조건에 따라 글리프를 모아서
볼 수 있는 기능이다. 예컨대 '앵커를 포함', '컴포넌트를 포함',
또는 '색 라벨' 등의 글리프 조건을 설정할 수 있다.

'목록 필터(List Filter)'는 원하는 글리프 목록을 입력해 필터로 만들 수 있다. 목록 필터의 글리프는 적힌 순서대로 폰트뷰에 정렬된다. 한글의 경우 같은 모임꼴별로 목록 필터를 만들어 작업하면 편리하다.

팁: 편집뷰에서 [Fn-Shift-방향키]를 활용하면 목록 필터 안의 글리프들을 순서대로 넘겨볼 수 있다.

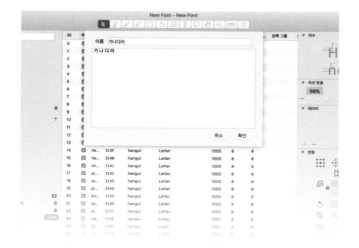

글리프 정보

폰트뷰 왼쪽 아래 '글리프 정보'에서 글자 너비와 왼쪽 사이드 베어링, 오른쪽 사이드 베어링, 커닝 그룹 등을 입력할 수 있다. 다수의 글리프를 함께 선택해 조정할 수도 있다. '내보내기' 체크박스에서 폰트를 내보낼 때 해당 글리프를 포함할지 여부를 선택할 수 있다.

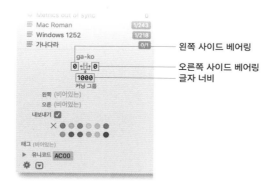

왼쪽 사이드 베어링
오른쪽 사이드 베어링
글자 너비

글리프 색 설정

글리프를 선택하고 마우스 오른쪽을 클릭하면 글리프 색을
선택할 수 있다. 선택한 색은 전체 마스터에 적용되는데 특정
마스터에만 별도로 색을 설정하려면 [Opt]를 누르면서 선택한다.
'글리프 색 설정'은 폰트뷰 왼쪽 아래의 '글리프 정보'에서도
설정할 수 있다.

글리프 추가, 삭제, 복제

글리프를 추가하거나 삭제 또는 복제할 때 상단 메뉴의 '글리프'를
활용하거나 단축키를 익혀 활용하면 편리하다. 글리프를 추가하기
위해서는 글리프 → 글리프 추가(Add Glyphs)를 클릭한다.
예컨대 '가 나 다'처럼 띄어쓰기로 구분해 타자하거나 'ga-ko,
na-ko, da-ko'처럼 글리프 이름을 나열해 여러 개의 글리프를
생성할 수 있다. 글리프를 삭제하기 위해서는 글리프 →
글리프 삭제(Remove Glyph)를 클릭한다. 글리프를 복제할
때는 글리프 → 글리프 복제(Duplicate Glyph)를 클릭한다.
복제된 글리프 이름에는 '.001', '.002' 같은 접미사가 붙는다.
폰트뷰에서 글리프의 이름을 복사하려면 글리프를 선택한 뒤
마우스 오른쪽 → 글리프 이름 복사(Copy Glyph Names)를
클릭해 원하는 정보를 선택한다.

글리프 추가
글리프→
글리프 추가[Shift-Cmd-G]

글리프 삭제
글리프→
글리프 삭제[Cmd-Delete]

글리프 복제
글리프→
글리프 복제[Cmd-D]

고급 붙여넣기

'고급 붙여넣기'는 특정 글리프의 전체 또는 일부 정보를 복사해
다른 글리프에 붙여넣는 기능이다. 먼저 폰트뷰에서 복사하려는
글리프를 선택하고 복사한다. 다음으로 복사할 대상 글리프를
선택하고 편집 → [Opt] → 고급 붙여넣기(Paste Special)를
클릭한다.

고급 붙여넣기
복사[Cmd-C] →
편집 →
[Opt] →
고급 붙여넣기[Opt-Cmd-V]

'고급 붙여넣기' 팝업 창에서 '같은 이름의 글리프' 또는
'선택된 글리프' 중 하나를 선택하고❶ 복사할 데이터를 골라서
붙여넣을 수 있다.❷ 이 기능은 다른 폰트를 열어 덮어쓰기
할 때 유용하다. 또한 아래의 '컴포넌트로 붙여넣기(as
Components)'는 복사된 글리프 데이터를 컴포넌트의 형태로
다른 글리프에 붙여넣을 수 있다.❸ 이 기능을 활용하면 복수의
글리프에 공통된 컴포넌트를 일괄적으로 붙여넣을 수 있다.

3.3

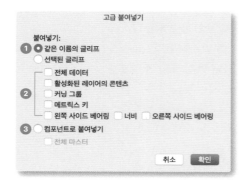

글리프 세부 정보

폰트뷰에서 글리프를 선택하고 [Opt-Cmd-I]를 누르면 각 글리프의 정보 설정 창이 나타난다. 스크립트, 카테고리 등을 설정하면 스마트 필터를 활용해 글리프를 분류할 수 있다. 또는 'Sort Name'에서 사용자가 원하는 새로운 카테고리를 정의할 수도 있다.

글리프 정보 설정
[Opt-Cmd-I]

3.4 편집뷰
Edit View

'편집뷰'는 글자를 그릴 수 있는 '그리기 모드'와 타자할 수 있는 '텍스트 모드'가 있다. 편집뷰를 열기 위해 상단 메뉴의 보기 → 새 탭(New Tab)를 클릭한다. 탭은 여러 개를 열 수 있으며 탭 왼쪽의 ×를 클릭하면 닫힌다. 탭 이동은 탭의 제목을 클릭하거나 단축키 [Opt-Cmd-숫자]를 눌러서 할 수 있다. 1은 폰트뷰, 2는 첫 번째 편집뷰, 3은 다음으로 열린 편집뷰 등 9까지 열려 있는 탭 사이의 이동이 가능하다.

텍스트 모드에서 [esc]를 누르면 그리기 모드로 변환되고, 그리기 모드에서 [T]를 누르면 텍스트 모드로 변환된다. 텍스트 모드에서 원하는 글자를 타이핑할 수 있다.

편집뷰
보기 →
새 탭[Cmd-T]

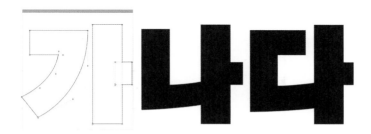

그리기 모드

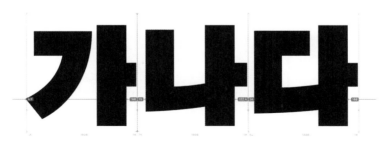

텍스트 모드

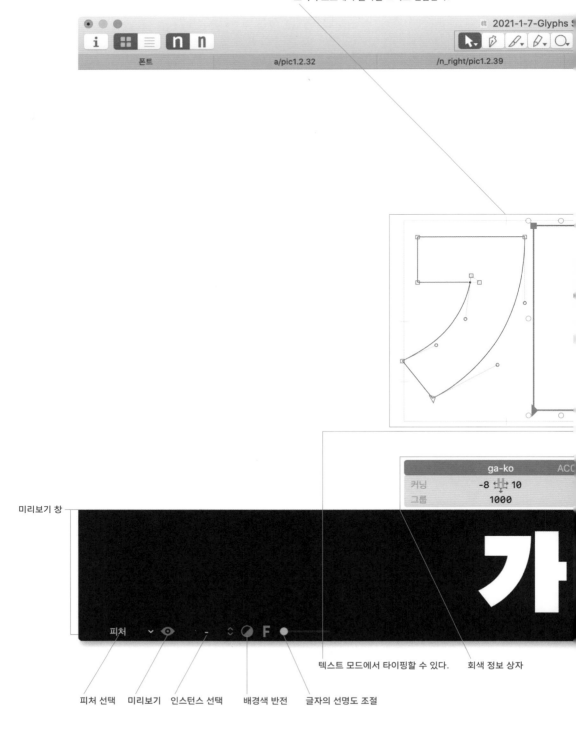

그리기 모드에서 글자를 그리고 편집한다.

2021-1-7-Glyphs

폰트   a/pic1.2.32   /n_right/pic1.2.39

ga-ko   ACC
커닝   -8   10
그룹   1000

미리보기 창

피처

텍스트 모드에서 타이핑할 수 있다.   회색 정보 상자

피처 선택   미리보기   인스턴스 선택   배경색 반전   글자의 선명도 조절

그리기 도구 상자

치수

곡선 맞춤

레이어

변형

획 설정

팔레트

커닝   정렬 및 쓰기 방향   글자 크기

그리기 도구 상자

선택툴
펜툴
나이프툴 / 지우개툴
연필툴 / 픽셀툴
도형툴
회전
스케일
텍스트
주석
손툴
확대 / 축소
측정툴
트루타입 인스트럭터

선택
모든 레이어 선택
올가미 선택

지우개
나이프

연필툴
Pixel Tool

직사각형
원형

3.4

선택툴(Select)

선택툴은 편집뷰에서 점과 패스의 전체 또는 일부를 선택하는
도구다. [Opt]를 누른 상태로 드래그하면 핸들을 제외한 점들만
선택할 수 있다. 선택한 점 중 일부를 제외하려면 [Shift]를
누르며 클릭한다. 패스의 주변을 더블클릭하면 해당 부분이
포함된 전체 패스가 선택된다. 또한 선택툴을 사용할 때
드래그한 상태에서 [Ctrl]와 [Opt]를 동시에 누르면 선택할
영역을 대각선으로 기울일 수 있다.

선택툴
[V]

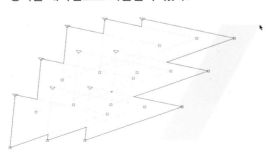

선택툴 버튼을 길게 클릭하면 '모든 레이어 선택(Select All Layers)'과 '올가미 선택(Lasso Select)'을 사용할 수 있다. 모든 레이어 선택은 하나의 레이어에서 다른 레이어의 도형을 모두 선택해 움직일 때 유용하다. 이때 함께 움직일 레이어의 눈 아이콘을 활성화해야 한다. 상단 메뉴의 편집 → 레이어 선택 싱크(Keep Layer Selection in Sync)는 하나의 레이어에서 선택한 점을 다른 레이어에서도 그대로 유지해 선택되도록 하는 기능이다.

펜툴(Draw)

펜툴로 화면의 한 곳을 클릭한다. 시작점과 조금 떨어진 곳에 두 번째 점을 클릭해 직선의 패스를 만든다. 임의의 곳에 세 번째 점을 클릭하고 다시 시작점을 클릭해 닫힌 패스를 완성한다. 닫힌 패스는 [space]를 눌러 미리 볼 수 있다.

펜툴
[P]

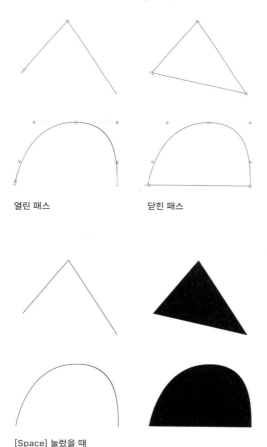

열린 패스   닫힌 패스

[Space] 눌렀을 때

지우개툴(Erase)과 나이프툴(Knife)

지우개툴을 활용해 점을 삭제할 수 있다. 곡선 위에 있는 점을 선택해 삭제하면 패스는 그대로 남는다. [Opt]를 누르면서 삭제하면 패스까지 삭제된다. 점을 선택한 뒤 [Delete]로 삭제해도 된다.

지우개 툴
[E]

 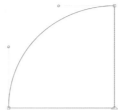

3.4 또한 도형의 '부분'만 삭제하려면 점과 패스를 선택한 뒤 자르기 [Cmd-X]를 하면 나머지 형태를 유지하며 일부만 삭제할 수 있다.

지우개툴을 길게 클릭하면 나이프툴이 활성화한다. 나이프툴을 활용하면 도형을 자를 수 있다.

연필툴(Pencil)

연필툴을 활용하면 빠르게 패스를 그릴 수 있다. 태블릿을 사용하는 경우 유용하다. 하지만 점이 많이 생기고, 패스가 거칠어지므로 불필요한 점을 정리해야 한다. 연필툴을 길게 클릭하면 픽셀툴이 활성화된다. 픽셀툴은 픽셀 폰트를 그릴 때 사용한다.

연필툴
[B]

도형툴(Primitives)

도형툴의 버튼을 길게 클릭하면 사각형과 원형을 선택할 수
있다. 도형툴을 선택하고 클릭하면 폭과 높이를 입력할 수 있다.
또는 [Shift]를 누른 상태로 드래그해 도형을 그리면 정사각형과
정원을 그릴 수 있다.

도형툴
[F]

측정툴(Measurement)

측정툴을 클릭하면 점의 위칫값을 볼 수 있다. 측정툴이 활성화된
상태에서 드래그하면 패스와 패스 사이 거리를 측정할 수 있다.
[Shift]를 누르면서 드래그하면 수직 수평으로 움직인다.

측정툴
[L]

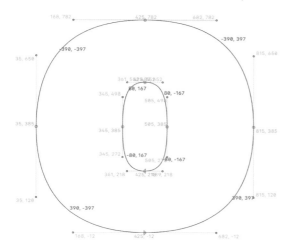

측정툴이 활성화된 상태

측정툴로 거리 측정하기

회색 정보 상자

회색 정보 상자는 편집뷰 아랫부분에 글리프의 정보를 담은
영역을 말한다. 상단 메뉴의 보기 → 정보 보기(Show Info)로
활성화할 수 있다. 회색 정보 상자에서는 글리프의 이름과 너비,
사이드 베어링, 커닝 등을 볼 수 있다. 또한 개체를 선택하면
개체의 크기와 위치 좌표, 노드의 수 등을 볼 수 있다. 이를
활용하면 숫자를 입력해 폭과 높이를 조절하거나, 좌표의 위치를
이동할 수 있다.

회색 정보 상자 활성화
보기→
정보 보기[Shift-Comd-I]

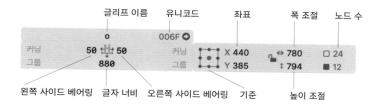

3.4

아웃라인 조절

점과 패스

점에는 파란색 코너점과 매끄럽게 연결되는 녹색의 곡선점
그리고 곡선을 조정하는 핸들들이 있다. 코너점, 곡선점, 그리고
핸들들을 모두 합해 '노드(Nodes)'라 한다. 핸들들은 선 위에
있지 않은 점을 말하며 이를 움직여 곡선의 정도를 조절할 수
있다. 곡선점에서 코너점으로 점의 속성을 변환하려면 점을
더블클릭한다. 점이 보이지 않으면 상단 메뉴의 보기 → 노드
보기(Show Nodes)에서 활성화할 수 있다. 점과 점을 연결한
선을 '패스(path)'라 한다. 시작점과 끝점이 연결된 것을 '닫힌
패스'라 하고, 그 반대를 '열린 패스'라고 한다.

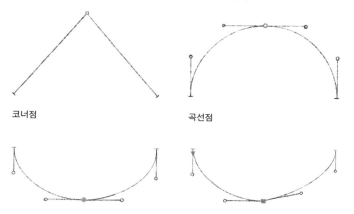

코너점   곡선점

더블클릭해 곡선점에서 코너점으로 변경한 모습

글립스 매뉴얼

삼각형 점은 시작 노드(시작점)이다. 삼각형의 방향은 패스의
방향을 보여 준다. 시작 노드의 위치를 바꾸려면 점을 선택한
뒤 마우스 오른쪽 → 시작 노드로 설정(Make Node First)을
클릭한다. 직선을 곡선으로 변경해 보자. [Opt]를 누른 상태로
직선의 중간 부분을 클릭하면 핸들이 생긴다. 두 개의 핸들 점을
움직여 곡선의 정도를 조절한다.

노드 보기
보기 →
노드 보기[Shift-Cmd-N]

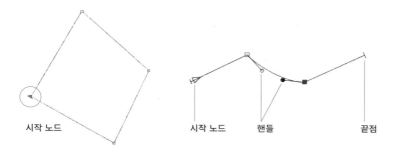

시작 노드

시작 노드   핸들   끝점

점과 패스의 이동

선택한 점과 패스를 마우스 또는 방향키를 이용해 이동할 수
있다. 키보드를 활용할 때는 [Shift]를 누른 상태로 방향키를
조작하면 10유닛, [Cmd]를 누른 상태로 방향키를 조작하면
100유닛 단위로 이동한다. 점을 선택하고 이동하면 점과 핸들이
함께 움직인다. [Ctrl-Opt]를 누른 상태로 곡선 위의 점을
이동하면 점이 이동함에 따라 핸들의 길이도 함께 조정된다.
[Opt]를 누른 상태로 곡선 위의 점을 이동하면, 핸들의 위치는
고정되고 점만 움직인다.

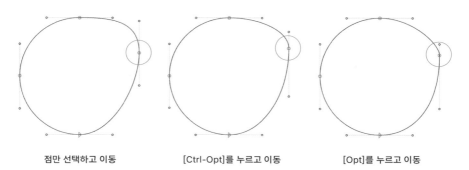

점만 선택하고 이동   [Ctrl-Opt]를 누르고 이동   [Opt]를 누르고 이동

획의 굵기

획(stroke)에 가상의 굵기를 설정해 아웃라인화하지 않고도
미리 볼 수 있는 기능이다. 패스를 선택하면 팔레트의 오른쪽
아래에 굵기 설정을 할 수 있는 '획 패널'이 나타난다. 'W,
H'에는 획의 가로와 세로 굵기를 입력할 수 있다. 획의 팽창
기준을 안쪽, 중심, 바깥쪽 중에서 고를 수 있다. 닫힌 패스에서
굵기를 설정하고 채우기(Fill)를 체크하면 내부가 채워진다.
'마스크(Mask)'를 활용하면 두 개의 도형이 겹치는 부분을
뚫을 수 있다. 닫힌 패스 위에 패스를 겹쳐서 그리고 마스크를
체크한다. 이때 적용이 되지 않는다면 필터 → 도형 순서(Shape
Order)에서 놓인 순서를 조정할 수 있다. 열린 패스의 끝점을
선택하면 끝나는 부분의 형태를 여러 가지로 설정할 수 있다.

3.4 [Space]를 누르면 획의 형태를 미리 볼 수 있다. 또는 상단
메뉴의 필터 → 획의 설정(Offset Curve)에서도 획의 굵기를
조정할 수 있다.

획 내부 채우기 ── 채우기 ○ 마스크 ○

획의 가로와 세로 굵기
획의 팽창 기준
겹치는 부분 뚫기
획 끝점 형태

코너 열기

직선과 곡선이 만나는 경우 '코너 열기'를 활용하면 연결된
직선과 곡선을 개별적으로 조절할 수 있다. 예컨대 'ㄱ'의 가로획
굵기를 조정할 경우 코너 열기를 하면 세로획은 고정해 두고
가로획만 조정할 수 있다. 열고자 하는 점을 선택한 뒤 마우스
오른쪽 → 코너 열기(Open Corner)를 선택한다.

코너 열기
마우스 오른쪽→
코너 열기

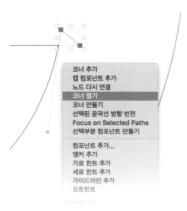

코너 추가
캡 컴포넌트 추가
노드 다시 연결
코너 열기
코너 만들기
선택된 윤곽선 방향 반전
Focus on Selected Paths
선택부분 컴포넌트 만들기

컴포넌트 추가...
앵커 추가
가로 힌트 추가
세로 힌트 추가
가이드라인 추가
오토힌트

오버랩 제거

두 개 이상의 패스를 하나로 합칠 경우 '오버랩 제거'를 사용한다.
상단 메뉴의 패스 → 오버랩 제거(Remove Overlap) 또는 오른쪽
팔레트 → 변형(Transformations)에서 선택할 수 있다.

오버랩 제거
패스→
오버랩 제거[Shift-Cmd-O]

팔레트 →
변형

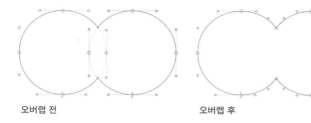

오버랩 전   오버랩 후

노드 다시 연결

이미 오버랩을 제거한 두 개의 패스를 다시 나눌 때는 '노드
다시 연결하기' 기능을 활용할 수 있다. 다시 연결하려는
두 점을 선택한 뒤 마우스 오른쪽 → 노드 다시 연결(Reconnect
Nodes)을 선택한다. 획을 분리해 작업하면 형태를 조금 더
자유롭게 조절할 수 있다.

노드 다시 연결
마우스 오른쪽→
노드 다시 연결

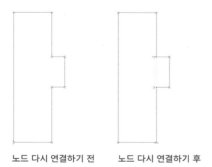

노드 다시 연결하기 전   노드 다시 연결하기 후

패스 방향 변환

편집뷰에서 [Space]를 눌러 미리 보면 닫힌 패스가 채워져
보이는데, 간혹 다음과 같이 겹치는 부분이 하얗게 보이는
경우가 있다. 이는 패스의 방향이 서로 반대이기 때문이므로
패스를 같은 방향(반시계 방향)으로 정리해야 한다.

'ㅇ'같이 닫힌 속공간이 있는 경우 안쪽 패스의 방향을 반대
방향(시계 방향)으로 가운데 부분을 뚫어야 한다. 안쪽 패스를
선택한 뒤 마우스 오른쪽 → 선택된 윤곽선 방향 반전(Reverse
Selected Contours)을 선택하면 패스의 방향을 바꿀 수
있다. 또는 상단 메뉴의 패스 → 패스 방향 수정(Correct Path
Direction)을 클릭하면 자동으로 패스 방향을 수정한다. 이때
[Opt]를 함께 누르면 전체 마스터의 패스 방향을 수정할 수 있다.

패스 방향 변환
마우스 오른쪽→
선택된 윤곽선 방향 반전

패스→
패스 방향 수정[Shift-Cmd-R]

3.4

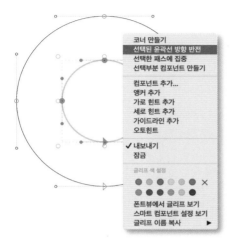

올바른 패스 그리기

어떤 도형의 끝부분과 수직, 수평선이 접하는 점을 '극점'이라
한다. 패스를 그릴 때는 '극점'에 점을 위치시키는 게 가장
안전하고 바람직한 방법이다. 적당한 수의 점으로 안정적인
형태를 구현할 수 있으므로 파일 크기를 절약할 수 있다. 아래
그림을 보면 왼쪽 원은 모든 점이 극점에 잘 자리 잡았지만,
오른쪽 원은 맨 위의 점이 극점이 아닌 곳에 자리 잡은 것을 볼
수 있다. 상단 메뉴의 패스 → 극점 추가(Add Extremes)를
클릭하면 자동으로 극점을 추가할 수 있다.

극점 추가
패스→
극점 추가

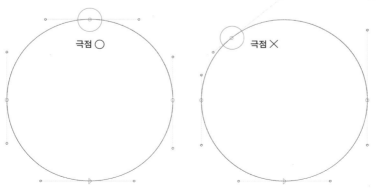

핸들의 길이 또한 주의해야 한다. 하나의 핸들이 다른 핸들 위를 가로지르거나 다른 핸들의 연장선을 넘으면 안 된다. 이는 특히 래스터라이저(Rasterizer), 즉 벡터를 픽셀화할 때 문제를 유발할 수 있다.

바람직한 패스의 예   바람직하지 않은 패스의 예

가이드

편집뷰에서 가이드를 만들기 위해서는 마우스 오른쪽 → 가이드라인 추가(Add Guide)를 클릭한다. 또는 임의의 두 점을 선택한 상태에서 마우스 오른쪽 → 가이드라인 추가(Add Guide)를 하면 두 점을 기준으로 가이드라인이 생성된다. 가이드라인 위의 점을 선택한 뒤 마우스 오른쪽 → 가이드라인 잠금(Lock Guides)을 클릭하면 가이드를 고정할 수 있다. 가이드가 보이지 않는다면 상단 메뉴의 보기 → 가이드라인 보기(Show Guides)를 클릭한다.

가이드라인 만들기
마우스 오른쪽 →
가이드라인 추가

가이드라인 잠금
마우스 오른쪽 →
가이드라인 잠금

가이드라인 보기
보기 →
가이드라인 보기[Shift-Cmd-L]

로컬 가이드라인과 글로벌 가이드라인

가이드라인에는 해당 글리프에서만 보이는 '로컬 가이드라인 (파란색)'과 모든 글리프에서 보이는 '글로벌 가이드라인 (빨간색)'이 있다. 가이드라인의 속성을 변경하기 위해서는 가이드라인 위의 점을 선택한 뒤 마우스 오른쪽 → 글로벌 가이드라인 만들기 또는 로컬 가이드라인 만들기를 클릭한다.

가이드라인을 자 도구로 활용하기

가이드라인을 선택한 뒤 하단 회색 정보 상자의 '자(측정값 표시)'를
클릭해 활성화하면 가이드라인을 '측정툴'처럼 활용할 수 있다.

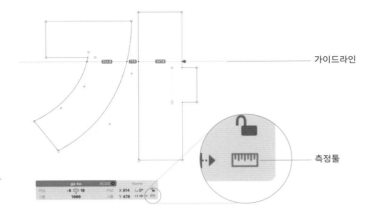

가이드라인

측정툴

배경

모든 레이어는 전경(Foreground)과 배경을 지닌다. 전경에서는
글자를 편집하고, 배경은 가이드로 사용한다. 배경은 임시로
패스를 저장하려 하거나 밑에 대고 패스를 그릴 경우에
유용하다. 전경에서 배경을 미리 보기 위해서는 상단 메뉴의
보기 → 배경 보기(Show Background)를 클릭한다.

배경 편집하기

배경을 편집하기 위해서는 패스 → 배경 편집(Edit Background)을
클릭한다. 배경 모드일 때는 전경과 구분하기 위해 편집 화면이
살짝 어두워진다.

배경 편집
패스→
배경 편집[Cmd-B]

선택 영역을 배경으로

패스 → 선택 영역을 배경으로(Selection to Background)를
클릭하면 전경의 선택 영역이 배경으로 복사된다.

선택 영역을 배경으로
패스→
선택 영역을 배경으로[Cmd-J]

배경과 전경 교체하기

패스 → 배경과 교체(Swap with Background)를 클릭하면
배경과 전경이 교체된다.

배경과 전경 교체하기
패스→
배경과 교체[Ctrl-Cmd-J]

다른 폰트를 배경에 복사하기

상단 메뉴의 패스 → 배경 지정(Assign Background)을
클릭하면 다른 폰트를 배경에 복사할 수 있다. 단, 배경에 넣기
위한 다른 폰트가 글립스에 열려 있어야 하고, 글리프 이름
체계가 같아야 한다.

다른 폰트를 배경에 복사하기
패스 →
배경 지정

이미지 추가 및 편집

스케치한 이미지를 스캔해 글립스로 불러오려면 이미지 파일을
편집뷰로 드래그하거나 상단 메뉴의 글리프 → 이미지 추가(Add
Image)를 활용한다. PDF, JPG, PNG 등의 이미지 파일을 불러올
수 있다. 폰트로 내보내기 할 때 이미지는 포함되지 않는다.

이미지 추가
글리프 →
이미지 추가

이미지를 불러온 뒤 조절하기 위해서는, 이미지를 선택한 뒤
드래그하거나, 그리기 도구 상자의 크기 조정(Scale)[S]과
회전(Rotate tool)[R] 도구를 이용해 이미지를 조절할 수 있다.
[Shift]를 누르면서 드래그하면 이미지의 가로세로 비례를
유지할 수 있다. 또한, 상단 메뉴의 패스 → 변형(Transfor-
mations)에서도 위치를 이동하거나 크기를 조절할 수
있다. 바운딩 박스가 보이지 않는다면 보기 → 바운딩 박스
보기(Bounding box)를 클릭한다. 이미지를 고정하려면
마우스 오른쪽 → 이미지 잠금(Lock Image)을 클릭한다.

바운딩 박스 보기
보기 →
바운딩 박스 보기
[Opt-Shift-Cmd-B]

 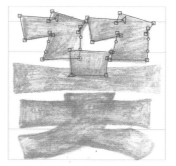

3.5 팔레트
Palette

3.5

팔레트를 열기 위해서는 상단 메뉴 → 창 → 팔레트(Palette)를 클릭하거나 화면의 오른쪽 위에 있는 사이드바 버튼을 누른다. 치수 보기, 레이어 편집, 변형 등을 할 수 있다.

팔레트
창→
팔레트[Opt-Cmd-P]

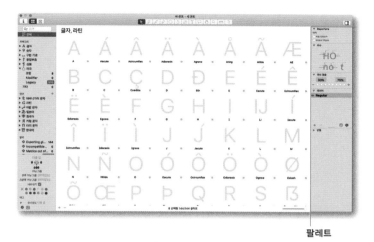

팔레트

치수

기준이 되는 글자의 획 굵기를 메모해 둘 수 있다. 이 숫자들은 폰트에 직접 영향을 미치지 않는, 작업자를 위한 메모다.
특히 라틴 글꼴 디자인에서 획의 굵기를 일정하게 작업하는 게 중요하므로 수치를 입력해 놓고 작업하면 유용하다.

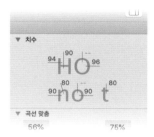

곡선 맞춤

'곡선 맞춤' 기능을 활용하면 곡선을 그릴 때 핸들의 길이를
일관되게 조절할 수 있다. 곡선이 시작되는 점은 0%, 핸들
교차 지점은 100%이다. 빈칸에는 핸들의 최솟값과 최댓값을
입력한다. 8개의 동그라미는 최솟값과 최댓값을 8단계로 나눈
것이다. 핸들을 선택하면 현재 핸들의 곡선의 정도가 동그라미
아래에 선으로 표시된다. 양쪽 끝의 +, −를 클릭해 원하는
곡선의 정도를 조절한다.

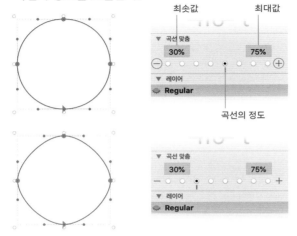

레이어

레이어는 마스터 레이어(Master Layer)와 백업 레이어(Backup
Layer) 두 가지로 나눌 수 있다. 마스터 레이어는 굵은 글자로
표시돼 백업 레이어와 구분된다. 마스터 레이어에서 형태를
그린 뒤 아래 +를 클릭하면 백업 레이어 형태로 복사된다. 백업
레이어는 다양한 시안을 레이어로 보관할 때 유용하며 드래그해
순서를 바꿀 수 있다. 보관된 백업 레이어를 다시 마스터로
불러오려면 선택한 뒤 마우스 오른쪽 → 마스터로 사용(Use as
Master)을 클릭하거나, 백업 레이어를 드래그해 마스터 위에
놓으면 마스터 레이어와 백업 레이어가 교체된다. 레이어 이름
앞의 눈 모양 버튼을 클릭해 화면에 표시하거나 숨길 수 있다.

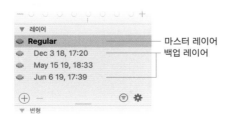

변형

개체의 확대와 축소, 회전, 기울이기, 정렬, 오버랩 제거 등을 할
수 있다. 또한, 상단 메뉴의 패스 → 변형에서도 도형을 조절할 수
있다. 이 기능은 편집뷰의 편집 모드에서 원하는 개체만 선택해
변형할 수도, 폰트뷰에서 여러 개의 글리프를 동시에 선택해
일괄 변형할 수도 있다.

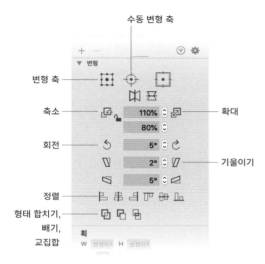

변형 팔레트

변형 창

3.6
필터
Filter

도형 순서

한 글리프 안에 다수의 도형이 있을 때 필터 → 도형 순서에서 순서를 조정할 수 있다. 멀티플 마스터에서 인터폴레이션 (Interpolation)*이 제대로 작동하려면 마스터마다 도형의 순서가 일관돼야 한다. 예컨대 신(thin), 레귤러, 볼드 등 여러 개의 마스터를 작업할 경우 마스터마다 도형의 순서가 다르면 인터폴레이션이 제대로 작동하지 않는다. 이 경우 '도형 순서' 기능을 활용해 이미지를 보면서 드래그해 순서를 조정할 수 있다.

* 글꼴 디자인에서 A마스터와 B마스터를 잇는 중간 형태를 얻는 과정.

그 외 기능

↳ 돌출 효과(Extrude): 입체 효과를 줄 수 있다.

↳ 글리프를 이미지로 저장(Glyph as Image): 그려진 글리프를 이미지 파일로 저장할 수 있다.

↳ 해치 윤곽선(Hatch Outline): 줄무늬 패턴의 글자를 만들 수 있다.

↳ 획의 설정(Offset Curve): 가로획과 세로획의 굵기를 조정할 수 있다.

↳ 거칠게(Roughen): 무작위로 거친 표면을 만든다.

↳ 모서리 둥글게(Round Corners): 코너에 둥근 형태를 만들고 값을 조정할 수 있다.

↳ 둥근 폰트(Rounded Font): 폰트 정보에서 마스터 탭의 '획' 굵기를 기반으로 둥근 폰트를 만든다.

필터(Filter)

3.7
폰트 정보
Font Info

폰트뷰 또는 편집뷰에서 왼쪽 윗부분에 있는 i를 클릭하면 폰트 정보를 입력하는 창이 나타난다. 또는 단축키 [Cmd-I]로 폰트 정보 창을 열 수도 있다. 폰트의 이름, 마스터, 스타일, 피처 등의 정보를 입력한다.

폰트 정보
[Cmd-I]

폰트 탭

일반의 '글자 가족 이름(Font Name)'에는 이름을 '영어'로 입력한다. 한글 이름을 입력하려면 일반 → 오른쪽 + 클릭 → Localized Family Names에서 '한국어'를 선택하고 한글로 이름을 입력한다. [Opt]를 누르면 – 버튼이 활성화 된다.

'EM 크기(UPM, Units per EM)'에서 EM이란 글자가 그려지는 사각형을 말하며 EM 크기는 EM이 나눠지는 유닛의 수를 말한다. OTF의 경우 1000을 기본으로 한다. 크기가 커질수록 세밀하게 작업할 수 있지만, 값이 3000 이상일 경우 어도비 인디자인 같은 프로그램에서 오류가 발생할 수 있다. 폰트의 EM 크기와 개체의 크기를 함께 조정하려면 오른쪽의 두 화살표를 클릭해 조정할 수 있다.

'축'은 굵기(Weight), 폭(Width), 시각적 크기(Optical), 이탤릭(Italic) 등 마스터로 구성된 디자인 스페이스를 연결하는 매개체다. 오른쪽의 +를 클릭해 추가할 수 있다. 예컨대 폰트에 굵기를 축으로 하는 글자 가족을 담으려면 Weight 축을, 폭을 축으로 하는 글자 가족을 담으려면 Width 축을 추가한다. 축의 종류는 사용자의 정의에 따라 다양해질 수 있다.

폰트 정보(Font Info)

'사용자 정의 매개 변수'에서 +를 클릭하면 폰트의 네임 테이블, 유니코드 영역, 코드페이지 영역, 글리프 순서 등을 입력할 수 있다. 글립스의 폰트 네임 테이블에 관한 자세한 정보는 글립스 웹사이트의 튜토리얼*에 설명돼 있다.

* https://glyphsapp.com/learn/naming

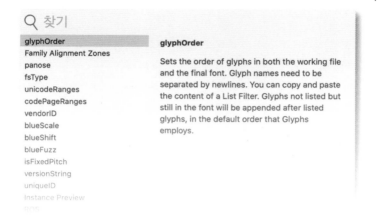

마스터 탭

마스터 탭에서 폰트 정보에 필요한 각 마스터의 축 좌표(Axes Coordinates)와 어센더(Ascender), 디센더(Descender) 같은 메트릭스(Metrics), 획(Stems) 등을 입력할 수 있다. 마스터를 추가하려면 마스터 탭 → 왼쪽 아래 + 클릭 → 마스터 추가(Add Master)를 선택하고 이름을 입력한다. 또는 '다른 폰트 추가'를 이용해 현재 열려 있는 다른 작업 파일의 마스터를 불러올 수 있다. 마스터를 삭제하려면 선택한 뒤 −를 클릭한다. 사용자 정의 매개 변수에서는 각 마스터에 typoAscender, typoDescender, typoLineGap 같은 구체적인 정보 값을 입력할 수 있다.

3.7

마스터 추가
마스터 탭→
왼쪽 아래 + →
마스터 추가(Add Master)

내보내기 탭

마스터를 그려 주었다면 내보내기 탭에서 '인스턴스'를 추가해
관리할 수 있다. 인스턴스는 마스터를 바탕으로 그려진 글자
스타일을 말하며, 마스터 자체가 될 수도 있고 여러 개의
마스터에서 추출된 중간값일 수도 있다. 예컨대 가는 굵기와 굵은
굵기의 2개의 마스터를 그린 뒤 내보내기 탭에서는 가는 굵기,
굵은 굵기, 중간 굵기처럼 세 개의 인스턴스를 생성할 수 있다.

인스턴스를 추가하려면 내보내기 탭 → 왼쪽 아래 + 클릭 →
각 마스터의 인스턴스 추가(Add Instance for each Master)를
실행해 각 마스터를 인스턴스로 불러온다. 여러 개의 마스터를
그린 뒤 중간값의 인스턴스를 추가하려면, +를 클릭해 인스턴스
추가(Add Instance)를 한다. 인스턴스를 추가한 뒤 각 스타일의
이름, 굵기, 너비 같은 정보를 입력한다. 사용자 정의 매개 변수
오른쪽 +를 클릭하면 스타일별로 Name Table Entry 같은 세부
설정을 할 수 있다.

인스턴스 추가
내보내기 탭 →
왼쪽 아래 + →
각 마스터의 인스턴스 추가

팁: 편집뷰에서 왼쪽 하단의
눈 모양을 클릭하면 인스턴스를
미리 볼 수 있다.

각각의 인스턴스에 한글 스타일 이름을 입력하려면 내보내기
탭의 일반 → 오른쪽 + 클릭 → Localized Style Name을 추가한
뒤 언어를 '한국어'로 선택하고 한글 스타일 이름을 입력한다.

피처 탭

피처 탭에서는 '오픈타입 피처'를 위한 코드를 자동 또는 수동으로 입력할 수 있다. 오픈타입 폰트는 어도비와 마이크로소프트가 공동 개발한 크로스 플랫폼 글꼴 파일 형식으로, 플랫폼 간 호환성과 광범위한 언어 지원 및 오픈타입 피처 같은 고급 타이포그래피 기능을 제공하는 게 특징이다. 예컨대 '작은 대문자', '합자', '문맥에 따른 대체 문자' 등 오픈타입 피처를 추가할 수 있다.

기타 탭

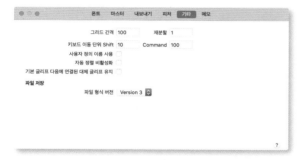

그리드 간격

그리드 간격은 1을 표준값으로 하며, 이 기능은 픽셀 폰트를 제작할 때 유용하다. 예컨대 그리드 간격 값을 100으로 하면 EM값이 100으로 나누어진다. 재분할은 그리드 한 칸을 다시 여러 칸으로 나누는 기능이다.

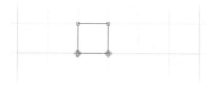

사용자 정의 이름 사용

다른 폰트 제작 프로그램에서 만든 글리프 이름은 글립스의
이름 체계와 다를 수 있다. 이 경우 기타 탭(Other Settings) →
사용자 정의 이름 사용(Use custom naming)을 체크 해제한
뒤, 글리프를 전체 선택하고 상단 메뉴에서 글리프 → 글리프
정보 업데이트(Update Glyph Info)를 클릭하면 글립스의 이름
체계로 바뀐다.

글립스 글리프 이름 체계 사용
기타 탭→
사용자 정의 이름 사용 해제

다른 프로그램의
글리프 이름 체계

글립스의
글리프 이름 체계

자동 정렬 비활성화(Disable automatic alignment)

앵커와 컴포넌트로 만들어진 글리프들은 기본으로 자동 정렬
기능이 활성화한다. 이 목록을 체크 해제하면 자동 정렬 기능이
비활성화한다.

기본 글리프 다음에 연결된 대체 글리프 유지
(Keep alternates next to base glyph)

폰트뷰에서 일반적으로 대체 글리프는 해당 카테고리의 끝부분에
추가되는데, 이 기능을 체크하면 대체 글리프가 기본 글리프와
함께 나란히 정렬된다. 예컨대 기본 글리프 'A'에 스타일리스틱
세트인 'A.ss01'을 추가하면, 폰트뷰에서 나란히 정렬된다.

파일 저장

파일 형식을 글립스 2 또는 글립스 3로 선택할 수 있다.
글립스 3에서 작업한 파일을 글립스 2에서 열 경우 파일 형식
버전을 글립스 2로 설정하고 저장한다.

3.8
형태 재사용
Reusing Shapes

3.8

이 장에서는 형태를 재사용해 효율적으로 그리는 방법을 소개한다. 글꼴 디자인을 할 때 같은 형태가 반복적으로 등장하는 경우가 자주 있다. 이때 형태를 복사해 여러 번 붙여넣기보다 '컴포넌트' 기능을 활용하면 수정 및 관리를 할 때 시간을 절약할 수 있다. 글립스는 일반 컴포넌트뿐 아니라 '스마트 컴포넌트'와 '코너 컴포넌트' 등 다양한 기능을 지원한다.

컴포넌트

'컴포넌트'는 글리프 안에 사용된 다른 글리프다. 즉 다른 글리프를 현재 글리프로 불러와 사용하는 것을 말한다. 형태를 재사용할 수 있는 게 컴포넌트의 큰 장점이다. 예컨대 라틴 폰트를 만들 때 'a, ä, å'에서 반복적으로 사용된 'a'를 컴포넌트 형태로 불러와 사용하는 게 일반적이다. 이 경우 'a' 글리프를 수정하면 'a' 컴포넌트가 포함된 모든 글리프에 적용되므로 관리가 수월하다. 아웃라인을 컴포넌트로 만들기 위해서는 편집뷰에서 아웃라인을 선택한 뒤, 마우스 오른쪽 → 선택 부분 컴포넌트 만들기(Component from Selection)를 클릭하고 새로운 컴포넌트의 이름을 입력한다. 글리프 안의 컴포넌트를 더블클릭하면 컴포넌트를 다시 수정할 수 있다.

컴포넌트를 불러오기 위해서는 편집뷰에서 마우스 오른쪽 → 컴포넌트 추가(Add Component)에서 이름을 검색한 뒤 선택한다. 또는 상단 메뉴의 글리프 → 컴포넌트 추가에서도 선택할 수 있고, 이때 [Opt]를 함께 누르면 전체 마스터에 컴포넌트 추가를 선택할 수 있다.

컴포넌트 만들기
마우스 오른쪽 →
선택 부분 컴포넌트 만들기

컴포넌트 불러오기
마우스 오른쪽 →
컴포넌트 추가
[Shift-Cmd-C]

글리프 →
컴포넌트 추가

전체 마스터에 컴포넌트 추가
[Opt-Shift-Cmd-C]

ÀÁÂÃÄÅĂ

A와 다양한 마크

앵커

라틴 알파벳 중에는 기본 알파벳 외에 'café'의 'é'처럼 마크*가
붙는 글자가 있다. 이 경우 알파벳과 마크를 연결해 주는
'앵커'가 필요하다. 앵커란 글리프 1과 글리프 2를 연결해
주는 자석 같은 도구다. 글리프 1과 글리프 2에 모두 앵커를
추가한다. 이때 앵커는 같은 이름이어야 하고, 그중 한 가지는
앞에 언더바(_)를 붙인다. 예컨대 'top, _top'이 한 쌍의
앵커고, 'bottom, _bottom'이 한 쌍의 앵커이다. 앵커를
활용해 만들어진 컴포넌트 글리프는 앵커에 의해 자동으로
정렬된다. 자동 정렬 기능을 해제하려면 컴포넌트를 선택한
뒤 마우스 오른쪽 → 자동 정렬 비활성화(Disable automatic
alignment)를 클릭한다.

* 일부 언어에서 발음을
구별하기 위해 글자 위나
아래에 붙이는 발음 구별
부호(diacritic)를 말한다.

라틴에 앵커 활용하기
왼쪽 카테고리의 언어 탭에서 라틴 → 서유럽, 중앙유럽 등
필요한 영역을 선택해 마우스 오른쪽 → 전체 선택[Cmd-A] →
생성(Generate)을 클릭한다. '라틴 확장 문자'와 함께 조합을
위한 마크가 추가된다. 조합 마크는 카테고리 → 마크 →
조합(Combining)에 있고, 타자를 위해 사용되는 마크는
카테고리 → 마크 → Legacy에 있다.

조합 마크
카테고리 →
마크 →
조합

타자를 위한 마크
카테고리 →
마크 →
Legacy

3.8

'ä'를 만들 때는 'a' 글리프에서 마우스 오른쪽 → 앵커 추가(Add Anchor)를 클릭하고 이름을 'top'❶이라 입력한다. 다음으로 조합 마크 'dieresiscomb'에서도 앵커를 추가하고 이름을 '_top'❷로 한다. 이때 두 글리프의 앵커는 같은 y값을 공유해야 한다. 마지막으로 'ä(adieresis)' 글리프에서 상단 메뉴의 글리프 → 조합 글리프 만들기(Create composite)를❸ 클릭하면 자동으로 두 글리프가 조합된다. 앵커는 글자의 무게중심에 맞춰 위치시키는 게 좋다.

앵커 추가
마우스 오른쪽 →
앵커 추가

조합 글리프 만들기
글리프 →
조합 글리프 만들기
[Ctrl-Cmd-C]

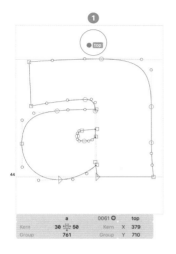

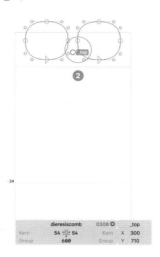

한글에 앵커 활용하기

앵커의 기능을 한글에도 활용하면 효율적으로 작업할 수 있다.
예컨대 '맘, 멈, 밈'의 받침 'ㅁ'은 같은 컴포넌트로 쓸 수 있지만,
위치는 달라질 수 있다. 이때 컴포넌트와 앵커를 사용한다.
먼저 받침 'ㅁ'에 앵커 '_Final'를 삽입하고 x 0, y -200 위치에
놓는다. 다음으로 모음 'ㅏ, ㅓ, ㅣ'에 각각 앵커 'Final'을
삽입하고 y 좌표는 유지한 상태에서 받침의 위치에 따라 x의
값을 다르게 설정한다. 마지막으로 '맘, 멈, 밈' 글리프에서 조합
글리프 만들기[Ctrl-Cmd-C]를 하면 자동으로 조합된다. 이처럼
같은 형태의 글리프를 위치만 다르게 사용할 경우 앵커 기능을
사용하면 한 가지 글리프로 여러 위치에 적용할 수 있다.

3.8

받침에 앵커 추가

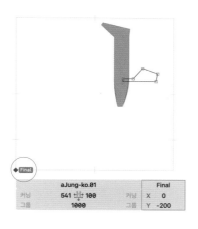

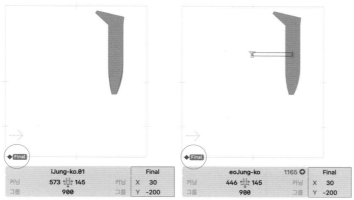

모음에 앵커 추가

코너 컴포넌트

코너 컴포넌트란 패스의 '모서리(Corner)'에 동일한 형태의
디자인을 반복적으로 적용할 수 있는 기능이다. 예컨대 모서리가
둥근(Rounded) 글자를 만들려면 곡선의 코너 컴포넌트를
만들어 패스에 적용한다. 2,000자가 넘는 글자를 만든 뒤 둥근
정도를 크거나 작게 수정해야 한다고 가정하면 코너 컴포넌트의
장점을 상상해 볼 수 있다.

코너 컴포넌트를 만들기 위해서는 '_corner'로 시작하는 글리프가
필요하다. 상단 메뉴의 글리프 → 글리프 추가(Add Glyphs)를
클릭해 '_corner.rounded' 글리프를 만든다. 그리고 코너의
형태를 좌표 x 0, y 0을 기준으로 그린다.

글리프 추가
글리프 →
글리프 추가
[Shift-Cmd-G]

다음으로 코너를 부착하려는 글리프의 한 점을 선택한 뒤 마우스 오른쪽 → 코너 추가(Add Corner)를 클릭하고 앞서 생성한 코너 컴포넌트 리스트가 뜨면 원하는 코너를 선택한다. 적용된 코너를 선택하면 하단의 회색 정보 상자에서 코너 컴포넌트의 크기, 부착 방향 등을 수정할 수 있다.

코너 컴포넌트 추가
마우스 오른쪽 →
코너 추가

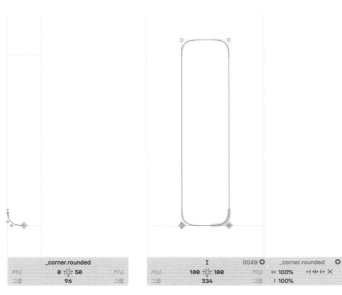

코너 컴포넌트 글리프

코너 컴포넌트 글리프가 적용된 모습

보기 → 노드 보기 → 엑스트라 노드(Extra Nodes)를 활성화하면 오버랩하지 않고 획이 교차하는 부분의 점을 선택할 수 있는데, 여기에도 코너 컴포넌트를 추가할 수 있다.

3.8

획이 교차하는 부분의 점 선택
보기 →
노드 보기 →
엑스트라 노드

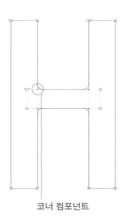

코너 컴포넌트

적용된 코너 컴포넌트를 분해해 아웃라인으로 만들기 위해서는
코너 컴포넌트를 선택한 뒤 마우스 오른쪽 → 코너 컴포넌트
분해(Decompose Corner)를 선택한다. 이때 코너 컴포넌트와
코너 컴포넌트가 적용된 개체의 '패스 방향'이 같아야 한다.
패스 방향 변경은 편집뷰에서 마우스 오른쪽 → 선택된 윤곽선
방향 반전(Reverse Selected Contours)을 클릭한다.

코너 컴포넌트 분해
마우스 오른쪽 →
코너 컴포넌트 분해

캡 컴포넌트

캡 컴포넌트란 세리프처럼 획의 시작, 끝부분에 반복되는 형태의
디자인을 적용할 수 있는 기능이다. 코너 컴포넌트는 하나의
점에 부착되지만, 캡 컴포넌트는 두 점에 부착된다. 캡 컴포넌트
글리프의 이름은 '_cap'으로 시작돼야 한다. 예컨대 세리프의
형태를 반복해 사용할 경우 상단 메뉴의 글리프 → 글리프
추가(Add Glyphs)를 클릭해 '_cap.serif'를 생성하고 좌표 x
0, y 0을 기준으로 열린 형태의 세리프를 그린다. 또는 'origin'
이름의 앵커를 활용해 좌표의 기준점을 변경할 수도 있다.

글리프 추가
글리프 →
글리프 추가
[Shift-Cmd-G]

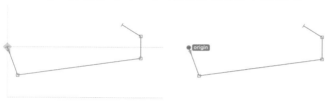

좌표 x 0, y 0에 맞게 그린 경우   'origin' 앵커를 활용한 경우

개체에 캡 컴포넌트를 적용하기 위해서는 부착 부위의 두 점을
선택한 뒤 마우스 오른쪽 → 캡 컴포넌트 추가(Add Cap)로
원하는 캡 컴포넌트를 선택한다. 캡 컴포넌트를 다시 분해해
아웃라인으로 바꾸려면 컴포넌트를 선택한 뒤 마우스 오른쪽 →
분해(Decompose)를 클릭한다.

캡 컴포넌트 추가
마우스 오른쪽 →
캡 컴포넌트 추가

캡 컴포넌트 분해
마우스 오른쪽 →
분해[Shift-Cmd-D]

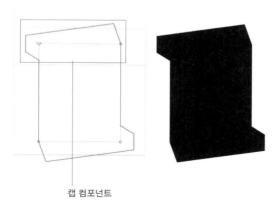

캡 컴포넌트

형태 재사용(Reusing Shapes)

세그먼트 컴포넌트

세그먼트 컴포넌트를 활용하면 동일한 형태의 디자인을 여러 획에 적용할 수 있다. 세그먼트 글리프를 만들기 위해서는 글리프 이름을 '_segment'로 시작하고 접미사는 자유롭게 설정한다. 열린 패스의 획의 양 끝에 각각 시작과 끝을 표시하는 마우스 오른쪽 → 앵커 추가(Add Anchor)를 하고 이름을 'start, end'로 한다. 적용할 글리프에서 두 점을 선택하고 마우스 오른쪽 → 세그먼트 컴포넌트 추가(Add Segment Component)를 한다. 이 기능을 이용하면 끝으로 갈수록 가늘어지는 획(tapered stems), 오목한 획(concaved stems), 볼록한 획(convex stems), 복잡한 디자인의 획 등을 효율적으로 만들 수 있다.

세그먼트 컴포넌트 추가
마우스 오른쪽 →
세그먼트 컴포넌트 추가

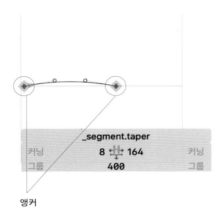

앵커

세그먼트 컴포넌트 글리프

3.8

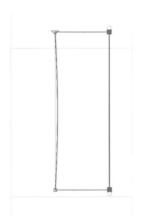

세그먼트 컴포넌트 글리프가 적용된 모습

스마트 컴포넌트

컴포넌트의 큰 장점은 반복되는 형태의 글리프를 재사용한다는
점이다. 한 단계 더 나아가 스마트 컴포넌트는 글리프의 너비나
높이, 또는 굵기를 조정해 재사용할 수 있어 더욱더 유용하다.
한글은 문자의 특성상 한 가지의 자소가 글자의 구조에 따라
폭과 높이가 증가하기도 하고 감소하기도 한다. 예컨대 '로, 론,
를'에 따라 ㄹ의 높이가 다양하게 변화하는 것을 볼 수 있다.
컴포넌트를 사용하지 않는다면 ㄹ의 형태를 각각 세 번 그려야
한다. 스마트 컴포넌트를 활용하면 하나의 컴포넌트에 다양한
형태를 레이어로 저장해 유연하게 표현할 수 있다. 라틴의
경우에도 세리프 또는 터미널같이 크기나 굵기가 조금씩 변형돼
반복적으로 사용되는 형태에 스마트 컴포넌트를 활용하면 좋다.

스마트 컴포넌트를 만들어 보자. 글리프의 이름은 '_part.001'
같이 '_part' 또는 '_smart'로 시작해야 한다. 기본 레이어
(Regular)❶는 기준이 되는 형태를 그려 넣는다. 다음으로
레이어를 복사해❷ 레이어 1(low)은 기준 형태에서 높이가
낮아진 형태❸, 레이어 2(narrow)는 기준 형태에서 폭이 좁아진
형태를 그린다.❹

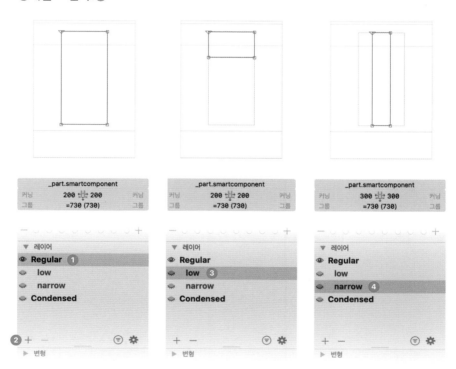

스마트 글리프 설정*을 열어 속성 탭에서 왼쪽 아래 +를 클릭해
'이름'에 Height를 추가❶하고 최솟값❷과 최댓값❸을 입력한다.
Width도 같은 방법으로 추가한다. 다음으로 '레이어' 탭에서 각
레이어에 적합한 속성값을 지정한다.❹

* 스마트 글리프 창이 열리지
않는다면 스마트 컴포넌트
글리프 이름의 접두사(_part,
_smart)가 알맞게 적용됐는지
확인하자.

스마트 글리프 설정
[Opt-Cmd-I]

스마트 글리프 설정 / 속성

스마트 글리프 설정 / 레이어

3.8

스마트 컴포넌트를 삽입할 때는 일반 컴포넌트와 같은 방법을 따른다. 편집뷰에서 마우스 오른쪽 → 컴포넌트 추가(Add Component)를 선택한 뒤 이름으로 검색해 추가한다. 추가된 컴포넌트를 선택하고 오른쪽 팔레트의 '스마트 설정'에서 값을 조절한다. 또는 스마트 컴포넌트 슬라이드 창을 열어 슬라이더를 움직여 형태를 조절할 수도 있다. 스마트 컴포넌트를 다시 아웃라인으로 바꾸려면 컴포넌트를 선택한 뒤 마우스 오른쪽 → 분해(Decompose)를 클릭한다.

스마트 컴포넌트 추가
마우스 오른쪽 →
컴포넌트 추가

스마트 컴포넌트 조절 창
[Opt-Cmd-I]

스마트 컴포넌트 분해
마우스 오른쪽 →
분해[Shift-Cmd-D]

한글 조합 그룹

한글 조합 그룹은 초성, 중성, 종성의 컴포넌트를 활용해 반복되는 조합 규칙을 그룹으로 묶어 자동으로 조합하고 관리하는 기능이다. 기본 음절 2,780자부터 확장 음절 11,172자까지 많은 수의 한글 글리프를 디자인할 때 효율적으로 작업할 수 있다. 조합 규칙에 따라 탈네모틀 글꼴부터 네모틀 글꼴까지 조합형 글자를 만들 수 있다.

폰트 정보 → 폰트 탭 → 사용자 정의 매개변수(Custom Parameter) → 오른쪽 + 클릭 → Hangul Composition Groups을 선택하고 더블클릭하면 팝업 창으로 한글 조합 그룹을 열 수 있다.

한글 조합 그룹
폰트 정보[Cmd-I] →
폰트 탭 →
사용자 정의 매개변수 →
오른쪽 + 클릭 →
Hangul Composition Groups

형태 재사용(Reusing Shapes)

한글 글리프 추가

한글 조합 그룹을 사용하기 위해서는 한글 음절 글리프와 함께 초성, 중성, 종성 글리프가 필요하다. 먼저 왼쪽 카테고리 언어 → 한국어에서 '기본 음절' 또는 '확장 음절' 중 선택해 마우스 오른쪽 → 전체 글리프 선택, 생성해 추가한다.❶ 같은 방법으로 언어 → 한국어 → 초성, 중성, 종성을 추가한다.*❷

* 언어 → 한국어 → 한글 자모는 ㄱ, ㄴ, ㄷ처럼 낱자로 활용하거나 한글을 타자할 때 사용된다.

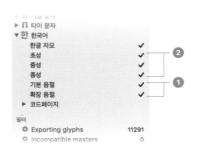

초성

중성

종성

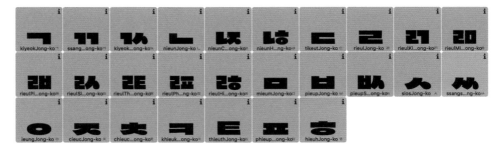

한글 조합 그룹 나누기

한글 조합 그룹의 왼쪽 카테고리를 살펴보자. 크게 초성(First),
중성(Vowel), 종성(Final) 세 가지의 카테고리가 있고,
각 카테고리 안에서 다시 작은 카테고리가 나뉜다. 글리프를
클릭한 뒤 아래로 드래그하면 그룹이 나눠진다. 이 책에서는
'둥켈산스'와 '옵티크'를 바탕으로 참고용 그룹을 소개한다.
한글 조합을 나누는 기준은 글꼴 디자인에 따라 달라질 수
있으므로 이 내용을 그대로 따라 하기보다는 각자의 조합 규칙을
설계하는 게 좋다. 또한 조합 규칙은 처음에는 크게 나눈 뒤
글꼴을 파생하는 과정에서 세밀하게 나누면서 계속 수정하고
발전시키는 게 좋다.

↳ 초성-초성

먼저 '초성-초성' 카테고리는 초성 속공간의 열린 방향이 비슷한
형태끼리 나눈다. 예컨대 아래쪽 속공간이 열린 형태인 'ㄱ, ㄲ,
ㅋ'과 오른쪽 속공간이 열린 형태인 'ㄴ, ㄷ, ㄹ, …', 속공간이
완전히 닫힌 형태인 'ㅁ, ㅂ, ㅃ, …'으로 나눌 수 있다.

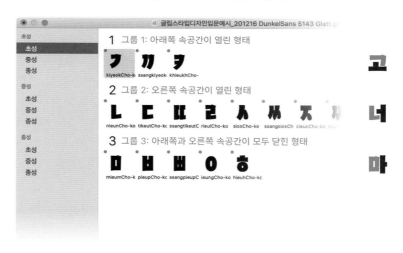

↳ 초성-중성

'초성-중성' 카테고리는 같은 형태의 초성을 공유하는 중성
그룹을 나눈다. 예컨대 'ㅏ, ㅐ, ㅗ, ㅜ, ㅘ, ㅝ, ㅙ, ㅞ'는 각각
다른 그룹으로 나눌 수 있으며 동일한 그룹에서는 같은 형태의
초성을 함께 사용한다.

↳ 초성-종성

'초성-종성' 카테고리는 같은 형태의 초성을 공유하는 종성
그룹을 나눈다. 주로 받침의 높이에 따라 나눠진다. 예컨대
'각, 감, 갇'처럼 받침의 높이가 보통인 것, '간, 갓'처럼 받침의
높이가 낮은 것, 그리고 '갈, 갑, 갛'처럼 받침의 높이가 높은
것으로 나눌 수 있다. 또한, 디자인에 따라 'ㄱ, ㅇ, ㅂ' 등을
별도의 그룹으로 나누기도 한다.

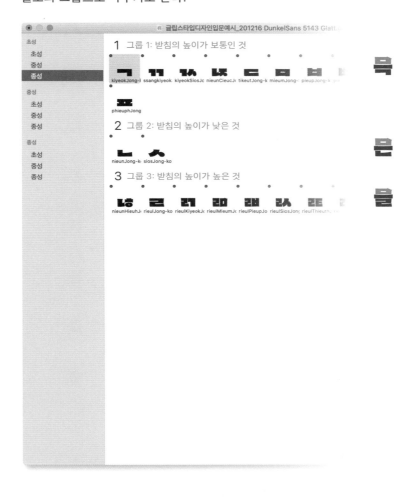

↳ 중성-초성

'중성-초성' 카테고리는 같은 형태의 중성을 공유하는 초성의
그룹을 나눈다. 이 경우 중성의 곁줄기의 위치가 항상 달라지는
경우가 많으므로 모든 글자가 각각의 그룹으로 나눠지는 편이다.
디자인에 따라 'ㅁ, ㅇ'을 같은 그룹으로 묶을 수도 있다.

↳ 중성-중성

'중성-중성' 카테고리는 모음 곁줄기 또는 짧은 기둥의 방향이
같은 형태끼리 나눈다. 예컨대 'ㅏ, ㅑ'는 곁줄기가 바깥쪽으로,
'ㅓ, ㅕ'는 곁줄기가 안쪽으로 향하므로 각각의 그룹으로 나눠야
한다. 디자인에 따라 'ㅐ, ㅒ'를 다른 그룹으로 나눌 수도 있다.

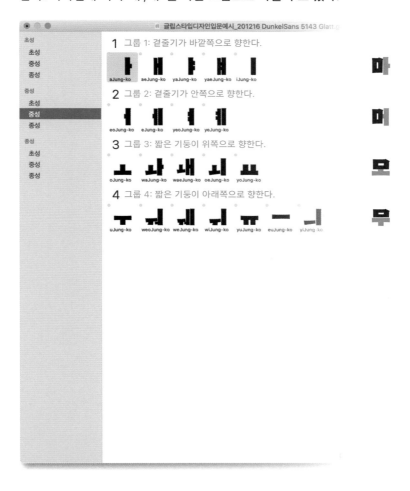

↳ 중성-종성

'중성-종성' 카테고리는 같은 형태의 중성을 공유하는 종성의
그룹을 나눈다. 주로 받침의 높이에 따라 나뉘거나 중성 기둥의
길이에 따라 나눠진다. 디자인에 따라 중성 기둥의 길이를 더
세밀하게 조정하기 위해 'ㅊ, ㅎ'을 따로 나누기도 한다.

↳ 종성-초성

'종성-초성' 카테고리는 같은 형태와 위치의 종성을 공유하는
초성의 그룹을 나눈다. 주로 초성의 높이와 받침의 위치에 따라
나뉜다. 예컨대 '감'과 '람'은 다른 높이의 종성 'ㅁ'이 필요하다.
또는 '감'과 '깜'은 '깜'에서 종성 'ㅁ'의 위치가 오른쪽으로
이동해야 한다.

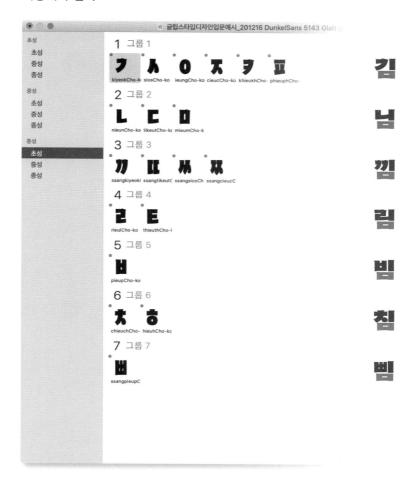

↳ 종성-중성

'종성-중성' 카테고리는 같은 형태와 위치의 종성을 쓰는 중성의
그룹을 나눈다. 주로 모임꼴에 따라 나눠진다. 예컨대 '감'보다
'곰'의 받침 너비가 넓은 편이다.

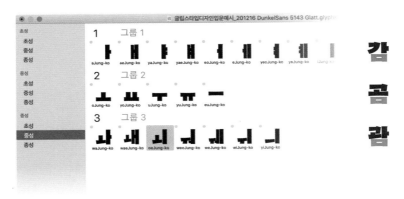

↳ 종성-종성

'종성-종성' 카테고리는 따로 나누지 않고, 하나의 그룹으로
묶었다. 이 경우 모든 종성의 자소의 수가 동일해진다.

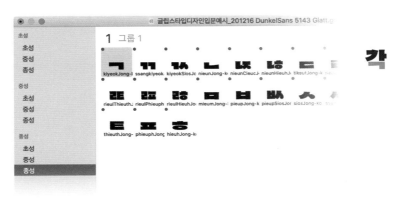

한글 조합하기

↳ 조합 글리프 만들기(Create composite)
한글 조합 그룹을 나눴다면 한글 음절 글리프를 열어 상단 메뉴의
글리프 → 조합 글리프 만들기를 클릭하면 자동 조합을 할 수
있다. 예컨대 '감(Kam-ko)'에서 조합 글리프 만들기를 하면
'ㄱ, ㅏ, ㅁ'이 조합된다. 여러 개의 음절 글리프를 한꺼번에
조합할 경우 폰트뷰에서 원하는 글리프를 모두 선택한 뒤
글리프 → 조합 글리프 만들기를 클릭한다.

조합 글리프 만들기
글리프→
조합 글리프 만들기
[Crtl-Cmd-C]

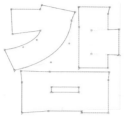 

아웃라인 글리프　　　　조합 글리프

↳ 키 글리프(Key Glyph)와 모델 글리프(Model Glyph)
'키 글리프'란 '한글 조합 그룹'에서 각 그룹의 맨 앞 글리프를
말한다. 그리고 키 글리프를 컴포넌트로 사용하는 음절
글리프를 '모델 글리프'라 하며 이때 키 글리프는 파란색으로
표시된다. 예컨대 'ㄱ(kiyeokCho-ko)'은 키 글리프, '간'은
모델 글리프라고 할 수 있다.

모델 글리프

키 글리프

형태 재사용(Reusing Shapes)

키 글리프인 파란색 컴포넌트는 접미사(Suffix)를 정해야
하며 같은 그룹의 컴포넌트는 접미사가 동일해야 한다.
예컨대 초성 'ㄱ'의 그룹을 'ㄱ, ㄲ, ㅋ'으로 나눴다면 이 중
맨 앞에 있는 'ㄱ'이 키 글리프이다. 아래 그림의 '간'에 사용된
파란색 'ㄱ'의 이름을 'kiyeokCho-ko.gan'으로 설정했다면
깐의 'ㄲ' 글리프 이름은 'ssangkiyeokCho-ko.gan', 칸의 'ㅋ'
글리프 이름은 'khieukhCho-ko.gan'이 돼야 한다. 음절 '깐'과
'칸'에서 글리프 → 조합 글리프 만들기[Ctrl-Cmd-C]를 하면
모델 글리프에 따라 컴포넌트가 자동으로 완성된다.

kiyeokCho-ko.gan   ssangkiyeokCho-ko.gan   khieukhCho-ko.gan

한글 조합 글리프 관리하기
↳ 한글 모델 글리프 보기(Show Model Glyph)
한글 음절을 파생할 때, 모델 글리프를 확인하거나 수정하려면
자소 컴포넌트를 선택하고 마우스 오른쪽 → 한글 모델 글리프
보기를 한다.

한글 모델 글리프 보기
마우스 오른쪽 →
한글 모델 글리프 보기

3.8

↳ 이 컴포넌트를 포함한 모든 글리프 보기
(Show all glyphs containing this component)
조합 컴포넌트를 수정할 때 해당 글리프가 포함된 다른
글자들도 함께 보면서 수정하는 게 좋다. 선택한 컴포넌트를
함께 사용하는 모든 글리프를 모아 보려면, 마우스 오른쪽 →
이 컴포넌트를 포함한 모든 글리프 보기를 선택한다.

모든 글리프 모아보기
마우스 오른쪽 →
이 컴포넌트를 포함한
모든 글리프 보기

↳ 스마트 필터를 활용해 모델 글리프 리스트 만들기
스마트 필터를 활용해 한글 모델 글리프를 모아 볼 수 있다.
폰트뷰 왼쪽 아래 톱니바퀴 → 스마트 필터 추가(Add Smart
Filter) → 첫 번째 조건에서 한글 키(is Hangul Key) → 두 번째
조건에서 예(Yes)를 선택한다. 왼쪽 필터 카테고리에 한글 모델
글리프가 수집된 필터가 추가된다.

모델 글리프 모아보기
폰트뷰 아래 톱니바퀴 →
스마트 필터 추가 →
첫 번째 조건에서 한글 키 →
두 번째 조건에서 예 선택

한글 조합 작업에 유용한 플러그인
글립스에 내장된 기능 외에 한글 조합 작업을 할 때 활용하면
시간과 노력을 절약할 수 있는 플러그인을 소개한다.

플러그인 설치
창 →
플러그인 관리자 →
플러그인 설치

↳ 한글 모으기(Collect Hangul)
한글을 구조별로 모아서 편집뷰에서 볼 수 있다.
개발자: 김대권(LineGap)

↳ 리사이클러(Recyclers)
해당 컴포넌트가 반복 사용된 모든 글리프를 별도의 창으로 보여
준다. 개발자: 마르크 프룀베르크(Mark Frömberg)

3.9
글자 사이

스페이싱

스페이싱은 글자 사이를 고르게 하기 위해 글자의 왼쪽
사이드 베어링(Left Sidebearing, LSB)과 오른쪽 사이드
베어링(Right Sidebearing, RSB)의 값을 조절하는 과정이다.*
고정 너비(Monospaced)로 만드는 경우는 글리프 너빗값이
고정된 상태에서 내부 글자의 형태와 위치를 조절해 글자 사이를
조절한다. 사이드 베어링값은 글자 아래의 '회색 정보 상자'에서
숫자로 직접 입력해도 되고, 수학 기호를 활용할 수도 있으며,
사이드 베어링을 공유하려는 글자를 직접 입력할 수도 있다.

* 사이드 베어링(Sidebearing)
이란 글리프 안에서 글자의 양
옆 공간을 말한다.

글자 너비

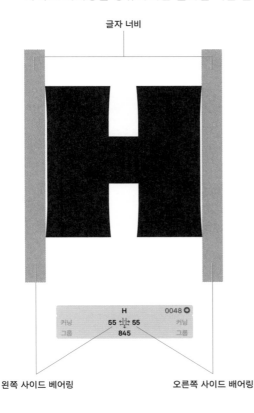

왼쪽 사이드 베어링   오른쪽 사이드 배어링

일반적으로 비슷하거나 같은 형태는 동일한 사이드 베어링값을
갖는다. 예컨대 소문자 'b, h, k'는 글자의 왼쪽 형태가 같으므로
같은 LSB값을 갖는다. 'b'의 LSB값을 설정한 뒤 'h, k'의 LSB에
'b'를 넣어 같은 사이드 베어링을 공유할 수 있다.

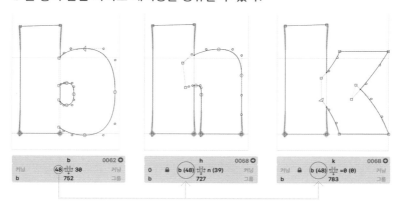

이렇게 정의해 주면 추후에 'b'의 LSB값이 변경될 경우 'h, k'의
LSB값은 빨간색으로 경고 표시가 되며 새로고침을 클릭하거나
상단 메뉴의 글리프 → 메트릭스 업데이트(Update Metrics)를
클릭해 동일한 값으로 업데이트할 수 있다. 이때 [Opt]를 함께
누르면 전체 마스터의 메트릭스를 업데이트할 수 있다. 기준
글리프 n에서 더하거나 뺀 사이드 베어링값은 '=n+10' 또는
'=n-10'을 입력한다. '=|n'을 입력하면 반대쪽 사이드 베어링값을
불러올 수도 있다.

메트릭스 업데이트
[Ctrl-Cmd-M]

전체 메트릭스 업데이트
[Ctrl-Cmd-Opt-M]

	k	006B ○
커닝	b (38) ↻ ⊕ ↻ =0 (10)	커닝
그룹	783	그룹

—— 새로고침

3.9

또한, 글리프 → 메트릭스 변형(Transform Metrics)에서
글리프의 너비, 왼쪽 사이드 베어링, 오른쪽 사이드 베어링값을
입력할 수 있다. 너비를 변형할 때 '양쪽의'를 체크하면 개체의
왼쪽 오른쪽값이 모두 변경되고, 체크를 해제하면 오른쪽 사이드
베어링값에만 영향을 미친다. 사이드 베어링을 변형할 때
'상대값'을 체크하면 기존값을 기준으로 더하거나 뺄 수 있고,
체크를 해제하면 입력한 값이 바로 사이드 베어링값이 된다.

커닝

스페이싱을 마무리한 뒤 특정 알파벳의 조합에서 글자 사이가
균일하지 않을 때 공백을 조정하는 것을 '커닝'이라 하며, 조정이
필요한 두 글자를 '커닝 쌍'이라 한다. 대체로 폰트 제작 과정의
마지막에 이뤄지며 커닝을 시작하기 전 기본 스페이싱이 잘
돼 있어야 한다. 예컨대 대문자 'W'와 'A'가 만나면 글자의
형태로 인해 두 글자 사이에 큰 공간이 생긴다. 이때 마이너스
커닝값을 적용해 사이 공간을 줄일 수 있다. 또한, 대문자 'T'는
좌우 하단에 큰 공간이 있으므로 'Ty, To'처럼 소문자와 만날 때
마이너스 커닝이 필요하다.

커닝값은 회색 정보 상자의 왼쪽 또는 오른쪽에서 입력한다.
또는 커닝 쌍의 글자 사이에 커서를 두고 [Ctrl-Opt-방향키]를
누르면 왼쪽 커닝값이 입력되고, [Opt-Cmd-방향키]를 누르면
오른쪽의 커닝값이 입력된다. [Shift]를 함께 누르면 10유닛
단위로 움직인다. 이때 마이너스 커닝은 하늘색, 플러스 커닝은
노란색으로 표시된다.

왼쪽 커닝값
[Ctrl-Opt-방향키]

오른쪽 커닝값
[Opt-Cmd-방향키]

글자 사이

비슷한 형태를 보이는 글자들은 '커닝 그룹'을 사용하면
효율적이다. 'V, W'와 'A, À, Á, Å, Â' 같은 글자를 그룹으로 묶어
커닝값을 함께 입력할 수 있다. 커닝 그룹을 묶으려면 커닝값
아래에 원하는 그룹의 대표 글자를 입력한다. 예컨대 'A, À, Á,
Å, Â'는 모두 'A'를 입력해 하나의 그룹으로 묶을 수 있다. 이처럼
커닝 그룹을 활용하면 커닝값을 여러 번 입력하는 번거로움을
줄일 수 있다.

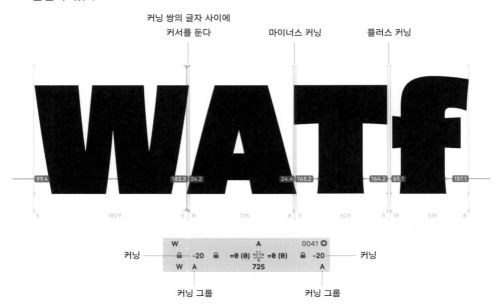

3.9

이렇게 만들어진 모든 커닝 쌍의 리스트는 상단 메뉴의 창 →
커닝(Kerning)에서 확인하고 관리할 수 있다. 커닝 그룹에는
'@A'처럼 앞에 '@'가 붙는다. 커닝 쌍을 삭제하려면 왼쪽
아래 –를 누른다. 다른 마스터에 커닝값을 복사하기 위해서는
미리 만들어진 '커닝' 리스트를 선택하고 복사[Cmd-C], 새로운
마스터의 커닝 창에서 붙이기[Cmd-V]를 한다. 오른쪽 아래에
있는 톱니바퀴를 클릭하면 커닝을 '정리', '압축' 또는 '모든
글리프 보기'를 할 수 있다.

팁: 커닝 그룹에서 예외의
조합이 필요한 경우 자물쇠를
해제하고 커닝값을 변경한다.
예컨대 'a'와 'ä'가 같은 커닝
그룹에 있을 때 'Ta'은 그룹
커닝값을 사용하면 되지만,
'Tä'는 'a' 위에 달린 '¨' 때문에
부딪힌다. 따라서 예외의
커닝값이 필요하다.

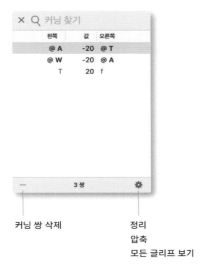

커닝 쌍 삭제

정리
압축
모든 글리프 보기

3.10
멀티플 마스터
Multiple Masters

'멀티플 마스터'란 한 파일에 여러 마스터를 저장한 것을 말한다.
'마스터(Master)'에는 사용자가 아웃라인을 그려 넣을 수 있고,
마스터를 바탕으로 중간 스타일인 '인스턴스(Instance)'를
추출할 수 있다. 각각의 마스터는 글자 너비와 굵기 같은
'축'으로 연결된다. 폰트로 내보낼 때는 다양한 스타일을 각각
폰트로 저장할 수 있고, 모든 스타일이 연결된 '배리어블 폰트'로
내보내기 할 수도 있다.

마스터 1	인스턴스	인스턴스	인스턴스	마스터 2
Thin	Light	Regular	Medium	Bold

마스터, 축, 인스턴스
마스터를 추가하려면 상단 메뉴의 파일 → 폰트 정보 →
마스터 탭 → 왼쪽 하단 + 클릭 → 마스터 추가를 선택하고
이름을 바꾼다.

축을 추가하려면 상단 메뉴의 파일 → 폰트 정보 → 폰트 탭 →
축(Axes) → + 클릭한다. 기본으로 설정된 축 이름을
선택하거나, 새로운 이름을 입력한 뒤 오른쪽에는 축의 간략한
이름을 설정한다. 이름은 반드시 영어로 입력해야 한다. 축의
종류는 Weight(굵기), Width(글자 너비), Optical size(시각적
크기), Italic(이탈릭), Contrast(획의 대비), Serif(세리프) 등이
있으며 글꼴 디자인에 따라 다양하게 정의할 수 있다. 여러 개의
축을 동시에 사용하기도 한다.

마스터 추가
파일 →
폰트 정보[Cmd-I] →
마스터 탭 →
왼쪽 하단 + →
마스터 추가

축 추가
파일 →
폰트 정보[Cmd-I] →
폰트 탭 →
축 →
오른쪽 +

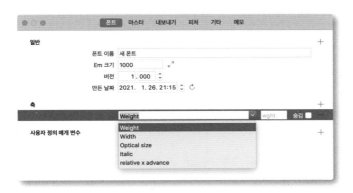

인스턴스를 추가하려면 내보내기 탭 → 왼쪽 하단 + 클릭 →
각 마스터의 인스턴스 추가(Add Instance for each Master)를
해 각 마스터를 인스턴스로 불러온다. 중간값의 인스턴스를
추가하려면, +를 클릭해 인스턴스 추가(Add Instance)를 한다.
마스터 간의 이동은 단축키[Cmd-숫자]로 할 수 있다.

인스턴스 추가
내보내기 탭 →
왼쪽 하단 + →
각 마스터의 인스턴스 추가

인터폴레이션

모든 마스터를 동일한 성격으로 설정하고, 사잇값을 자동으로
파생해 중간 인스턴스를 추출하는 과정을 '인터폴레이션
(Interpolation)'이라 한다. 인터폴레이션이 작용하는 영역을
'디자인 스페이스(Design-space)'라 하며 패스의 방향, 점의
개수, 앵커의 개수 등 각 마스터의 성격이 완벽하게 일치해
호환(compatible)돼야 한다. 한편, 디자인 스페이스 밖으로
'익스트래폴레이션(Extrapolation)'을 할 수도 있지만, 글자의
형태가 일그러지거나 오류가 발생할 수 있으므로 주의해야 한다.

팁: 배경과 전경 인터폴레이션하기.
패스 → 배경과 인터폴레이션
(Interpolate with Background)
에서 전경과 배경의 형태를
인터폴레이션할 수 있다.
간단하게 인터폴레이션이
필요한 경우 배경에 형태를
붙여넣고 슬라이드를 조절해
인터폴레이션한다.

3.10

마스터 호환성

멀티플 마스터를 사용할 때는 모든 마스터가 서로 성격이
같아서 호환돼야 인터폴레이션 등의 기능을 사용할 수 있다.
여기서 '성격이 같다'는 건 시작점의 위치, 방향, 도형과 노드의
개수 등이 동일하다는 의미다. 각 마스터가 호환되지 않는 경우
폰트뷰 글리프의 왼쪽 모서리에 붉은 삼각형 경고가 표시되거나,
편집뷰의 글리프 상단에 붉은색 선이 생긴다. 아래의 점검 사항을
참고해 문제의 원인을 파악하고 해결해 보자.

마스터 호환성 점검 및 해결 방법

↳ 시작점이 동일한가?
보기 → 마스터 호환성 보기(Show Master Compatibility)에서
시작점을 드래그해 옮기거나, 편집뷰에서 점을 선택하고
마우스 오른쪽 시작 노드로 설정(Make Node First)에서
수정할 수 있다.

↳ 패스의 방향이 같은가?
패스 → 패스 방향 수정(Correct Path Direction)을 한다.
또한 [Opt]를 누른 채로 수정하면 전체 마스터의 패스 방향을
수정할 수 있다.

↳ 노드의 개수가 같은가?
개체를 선택하면 편집뷰 하단의 회색 정보 상자 오른쪽에 노드의
숫자가 표시된다.

시작점 수정
보기 →
마스터 호환성 보기
[Ctrl-Opt-Cmd-N]

마우스 오른쪽 →
시작 노드로 설정
(Make Node Frist)

패스 방향 수정
패스 →
패스 방향 수정
[Shift-Cmd-R]

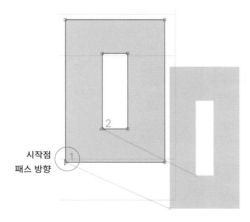

시작점
패스 방향

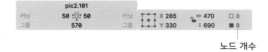

노드 개수

도형 순서 수정
필터→
도형 순서

↳ 도형이 놓인 순서가 같은가?
필터 → 도형 순서(Shape Order)에서 객체의 순서를 드래그해
수정할 수 있다.

↳ 앵커의 개수, 이름이 일치하는가?
↳ 컴포넌트의 이름과 개수가 동일한가?

중간 레이어

멀티플 마스터에서 인터폴레이션을 할 때 특정 글리프만을
위해 중간 형태를 그려 넣는 기능을 '중간 레이어' 또는
'브레이스 레이어'라 한다. 아래 그림과 같이 가는 마스터와
굵은 마스터를 인터폴레이션해 여러 개의 인스턴스를 만들었을
때 한가운데 대문자 E의 중간 가로획이 지나치게 가늘어진 것을
볼 수 있다. 이런 경우 중간 레이어를 활용해 원하는 E의 형태를
추가해 주면 해당 글리프만 세 개의 마스터를 사용하는 효과를
볼 수 있다.

3.10

중간 레이어를 추가해 보자. 우선 각 마스터에 축의 값을
설정해야 한다. 폰트 정보[Cmd-I] → 폰트 탭 → 축(Axes)에서
오른쪽 +를 클릭해 'Weight'를 추가한 뒤 마스터 탭❶에서
Regular 마스터는 100, Bold 마스터는 800으로 축 좌표값을
설정한다.❷ 내보내기 탭❸에서 왼쪽 아래의 +를 클릭해
각 마스터를 인스턴스로 추가(Add Instance for each
Master)한다. 또한 두 마스터의 중간 굵기를 만들기 위해
왼쪽 아래의 +를 클릭❹해 인스턴스 추가(Add Instance)를
클릭하고 스타일 이름❺과 축 좌표❻를 설정한다. 예를 들어
Regular 100, Medium 200, DemiBold 350, SemiBold 600,
Bold 800으로 설정한다.*

* 여기에서 축 좌표값은
예를 들기 위한 임의의
숫자이므로 원하는 값으로
바꿔서 설정할 수 있다.

마스터 탭

내보내기 탭

멀티플 마스터(Multiple Masters)

다음으로 편집뷰 오른쪽 팔레트의 레이어 패널(Layers)에서
마스터를 선택, 복사해 마우스 오른쪽 → 레이어 타입 →
중간(Intermediate)을 선택하면 중간 레이어로 바뀐다.

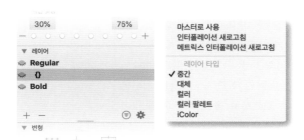

'{ }'를 클릭하고 축의 값 600을 입력한다.* 중간 레이어를
선택하고, 오른쪽 아래 톱니바퀴 모양 버튼을 클릭해
인터폴레이션 새로고침(Re-Interpolate)을 클릭한 뒤 편집
모드에서 형태를 보정한다. 중간 레이어가 반영된 결과는 편집뷰
하단 → 눈 모양 버튼 → 모든 인스턴스 보기에서 볼 수 있다.

* 형태를 바꾸고 싶은 축의 값을
입력하면 된다.

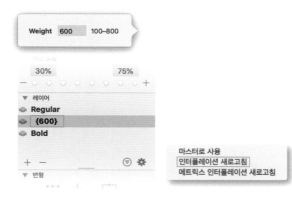

대체 레이어

멀티플 마스터에서 특정 글리프를 일정 값 범위 안에서 다른
형태로 대체할 수 있는 기능이다. 브래킷 레이어(Bracket Layer,
[ ])라고도 한다. 예컨대 '달러 환율 표시($)'의 굵기가 굵어지면
획이 뭉치므로 수직선의 가운데를 끊어 표현할 때 쓸 수 있다.

대체 레이어를 추가해 보자. 우선 각 마스터의 축의 값을
설정해야 한다. 폰트 정보 → 폰트 탭 → 축에서 'Weight'를
추가한 뒤 Regular 마스터는 100, Bold 마스터는 800으로 값을
설정한다. 내보내기 탭에서 왼쪽 아래의 +를 클릭해 각 마스터를
인스턴스로 추가(Add Instance for each Master)한다. 또한
두 마스터의 중간 굵기를 만들기 위해 왼쪽 아래의 +를 클릭해
인스턴스 추가(Add Instance)를 클릭하고 스타일 이름과
축의 값을 각각 Regular 100, Semibold 600, Bold 800으로
설정한다.

다음으로 각각의 마스터에 대체 레이어를 각각 추가해야 한다.
오른쪽 팔레트의 레이어 패널에서 Regular와 Bold의 레이어를
복사한다. 복사한 레이어를 각각 선택해 마우스 오른쪽 → 레이어
타입 → 대체(Alternate)를 선택하면 대체 레이어로 바뀐다.
'[ ]'를 클릭하고 축의 범위를 min=600, max=800으로
입력한다.** 각각의 대체 레이어에 '수직선이 끊어진 달러'를
입력한다. 대체 레이어의 아웃라인은 서로 호환돼야 한다.
편집뷰 하단 → 눈 모양 버튼 오른쪽 → 모든 인스턴스 보기에서
결과를 볼 수 있다.

** 형태를 대체하고 싶은 범위의
숫자를 넣으면 된다.

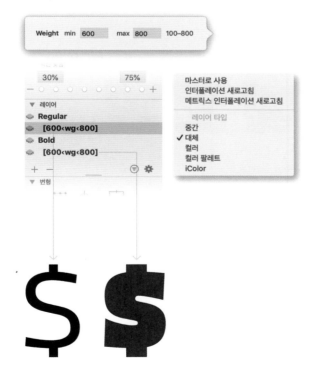

배리어블 폰트

'배리어블* 폰트'는 하나의 파일에 여러 개의 스타일을 포함한 폰트 저장 형식을 말하며 '가변 폰트' 또는 '변수 폰트'라 불리기도 한다. 기존에는 한 폰트에 하나의 스타일이 저장돼 있었다면 배리어블 폰트는 단일 폰트에 다양한 축(axis)으로 구성된 여러 스타일을 동시에 지정할 수 있다. 사용자는 편집 프로그램이나 웹 브라우저 등에서 슬라이더 같은 제어 장치로 원하는 정도를 조절할 수 있다. 배리어블 폰트의 장점은 첫째, 파일 크기가 경제적이라 웹사이트같이 빠르게 반응해야 하는 매체에서 유용하다. 둘째, 반응형 웹 디자인에서 다양한 화면 크기에 맞춰 빠르고 유연한 형태의 폰트 설정이 가능하다. 셋째, 배리어블 축을 움직이면 연속적인 형태를 얻을 수 있으므로 이를 활용해 애니메이션을 구현할 수도 있다.

* 배리어블(Variable)은 영어로 '변화하는, 변수, 다양한'이라는 뜻을 가진 형용사이다.

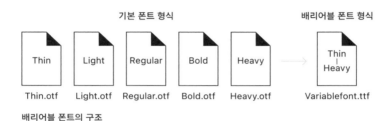

배리어블 폰트의 구조

배리어블 폰트의 원리

3.10

앞서 '멀티플 마스터'를 설계하는 방법과 같이 배리어블 폰트는 최소 두 개 이상의 마스터를 그리고, 마스터를 연결하는 축을 설정해 디자인해야 하며, 축으로 연결된 두 마스터는 호환돼야 한다. 축의 개수는 여러 개를 디자인할 수도 있다. 배리어블 폰트를 내보내는 방법은 상단 메뉴의 파일 → 내보내기(Export)에서 배리어블 폰트(Variable Fonts)를 선택하고 다음을 클릭해 폰트를 저장한다.

배리어블 폰트 내보내기
파일 →
내보내기[Cmd-E] →
배리어블 폰트 선택

배리어블 폰트는 현재 스케치(Sketch 59), 코렐드로우 (CorelDRAW 2020), 어도비 크리에이티브 클라우드의 인디자인(CC 2020), 포토숍(CC 2018), 일러스트레이터 (CC 2018) 등의 버전부터 사용할 수 있다. 어도비 인디자인의 문자 패널에서 폰트 이름 옆 배리어블 폰트 버튼을 클릭하면 아래 배리어블 축 슬라이더가 나타난다.

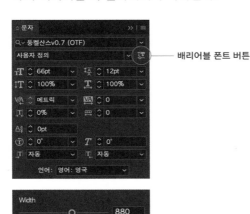

배리어블 축 슬라이더

배리어블 폰트로 애니메이션 만들기

배리어블 폰트 형식을 활용해 움직이는 외계인 얼굴 애니메이션을
만들어 보자. 날씬해졌다가 뚱뚱해지는 'Weight' 축과 눈을
감았다가 떴다가 하는 'Closed eyes' 두 가지 축을 활용한다.

↳ 새 파일

상단 메뉴의 파일 → 새 파일(New File)[Cmd-N]을 연다.
글립스3를 실행하면 '글리프 세트' 창에서 문자를 언어별로
선택할 수 있다. 언어 목록에서 임의로 '라틴'을 선택하고, 오른쪽
위의 글리프 추가를 활성화한 다음, '기본'을 체크하고 도큐먼트
만들기(Create Document)를 눌러서 새 파일을 연다.

↳ 폰트 정보

파일 → 폰트 정보(Font Info)[Cmd-I]의 폰트 탭에서
기본 정보를 입력한다. 폰트 이름은 영어로 입력한다.
(예: cute aliens)

↳ 축 설정

다음으로 '축(Axes)' 옆의 +를 클릭해 축을 추가한다.
Weight(wght) 축과 Closed eyes(eyes) 축을 만든다.

3.10

↳ 마스터 추가

파일 → 폰트 정보[Cmd-I] → 마스터(Masters) 탭에서 왼쪽
아래의 +를 클릭해 세 개의 마스터를 추가한다. Thin(가는),
Bold(굵은), ThinClosedeyes(가는, 눈감은) 세 가지 마스터를
만든다. 각 마스터의 축 좌표를 아래와 같이 설정한다.

편집뷰에서 각 마스터의 'A' 글리프에 아래와 같이 외계인 그림을
그려 넣는다. 세 가지 마스터의 노드 개수, 시작점의 위치와 방향
등이 모두 호환돼야 한다. 필터 → 도형 순서(Shape Order)와
보기 → 마스터 호환성 보기(Master Compatibility)에서
마스터가 호환되는지 확인한다.

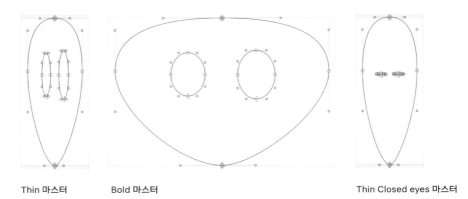

Thin 마스터   Bold 마스터   Thin Closed eyes 마스터

↳ 폰트 내보내기
글립스 파일을 저장하고, 파일 → 내보내기[Cmd-E] → 배리어블
폰트(Variable Fonts)에서 ttf를 선택한 뒤 폰트로 저장한다.

↳ 애니메이션 만들기
배리어블 폰트를 간단하게 테스트하기 위해 'CuteAliensGX.ttf'
배리어블 폰트를 디나모타입의 건틀럿 웹사이트
(fontgauntlet.com) 화면에 드래그한다. 'A'를 타자하고 왼쪽
메뉴 → Variable Axes → Play All 버튼을 클릭해 애니메이션을
실행한다. 왼쪽 메뉴에 앞서 설정한 두 개의 축이 슬라이드
형태로 보인다. 각 축의 속도를 다르게 설정해 줄 수도 있다.
Closed eyes 축을 3배 속도로 설정하면 눈을 깜박거리는 외계인
애니메이션이 완성된다. CSS의 'font-variation-settings'
속성에 CSS Animation을 함께 사용해 배리어블 폰트를 웹
애니메이션으로 만들어 사용할 수 있다.

3.10

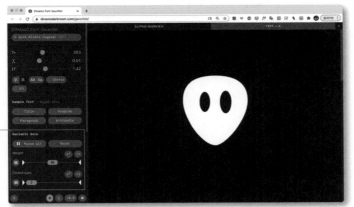

축의 범위,
속도 등을
조정할 수 있다.

디나모타입 건틀럿 웹사이트에서 애니메이션 실행

팁: 배리어블 폰트 제작을 위한
유용한 정보
· '배리어블 폰트 프리뷰'
플러그인을 활용하면, 배리어블
폰트 편집 단계에서 축의 값에
따라 변화하는 글자의 형태를
미리 볼 수 있다.
· 인터넷 익스플로러를 제외한 모든
웹 브라우저에서 배리어블 폰트를
지원한다. 배리어블 폰트를
웹상에서 미리 보려면 디나모
타입(Dinamo Type)이 만든
다크룸(Darkroom)과 로런스
페니(Laurence Penny)가 만든
액시스프락시스(AxisPraxis)와
삼사(Samsa)를 활용한다.
웹 브라우저에서 배리어블 폰트를
끌어 놓기(드래그 앤드 드롭)
하면 배리어블 축을 조정해 볼 수
있다. 특히 삼사에서는 사용자가
배리어블 축을 움직이면 점이
이동하는 것을 관찰할 수 있어
배리어블 폰트의 원리를 이해하기
좋다. 또한 타이포그래퍼
닉 셔먼(Nick Sherman)의
'배리어블 폰트 아카이브'에서
출시된 배리어블 폰트 목록과
함께 지원하는 OS, 브라우저와
애플리케이션 현황 등을
업데이트한다.

```css
@font-face {
    font-family: "Cute Alien"; /*폰트이름 넣기*/
    src: url("CuteAliensGX.ttf") format("truetype");
}
body {
    background-color: black;
}
h1 {
    font-family: "Cute Alien";
    font-size: 300px;
    animation: cute-alien-animation 2s ease-in-out infinite ;/
    text-align: center;
    color: #02ead5;
    text-shadow: 0 0 20px red;
}

@keyframes cute-alien-animation {
    0% {
        font-variation-settings: "wght" 100, "eyes" 0;
    }
    50% {
        font-variation-settings: "wght" 0, "eyes" 100;
    }
    100% {
        font-variation-settings: "wght" 100, "eyes" 0;
    }
}
```

CSS 애니메이션 예시

배리어블 폰트 프리뷰(Variable Font Preview) 플러그인,
마르크 프림베르크

멀티플 마스터(Multiple Masters)

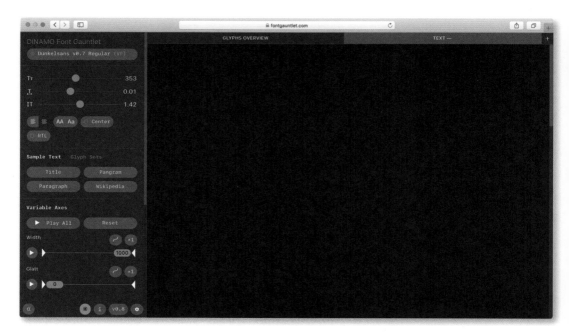

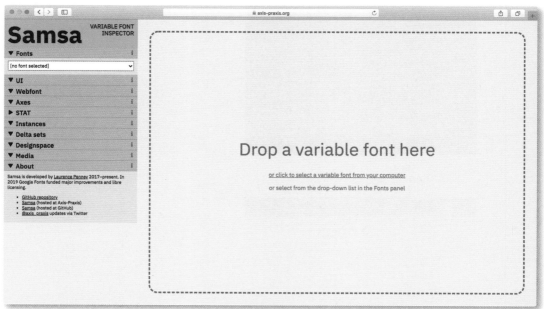

배리어블 폰트 관련 웹사이트

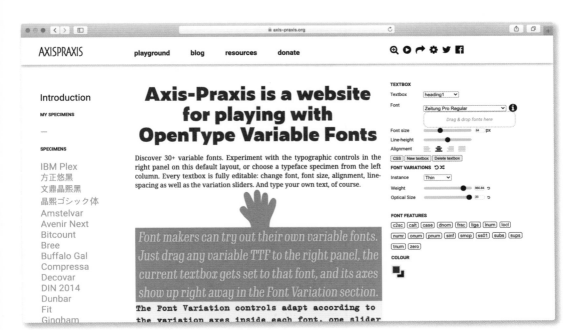

3.11
오픈타입 피처
OpenType Feature

'오픈타입 피처'를 활용하면 고급 타이포그래피 효과를 구현할 수 있다. 대문자를 작은 대문자로 변환하거나, 다양한 스타일을 담는 스타일리스틱 세트, 문맥에 따른 대체 글리프 사용처럼 폭넓은 기능을 추가할 수 있다. 또한 문장부호 지역화, 세로쓰기 등 다국어 폰트를 위한 기능도 있다. 오픈타입 피처를 지원하는 프로그램 또는 웹 브라우저 등에서 사용할 수 있다.

글립스에서 오픈타입 피처 코드를 자동으로 생성하려면 사전에 글리프 이름의 접미사(suffix)를 각 오픈타입 기능에 따라 입력해 주고 폰트 정보(Font Info)의 피처 탭(Features)에서 업데이트를 누른다. 수동으로 오픈타입 피처 코드를 작성하기 위해서는 상단에 있는 '피처 자동 생성' 체크를 해제하고 왼쪽의 +를 클릭해 필요한 피처를 추가해 코드를 작성한다. 오른쪽 상단의 'Spec'를 클릭하면 마이크로소프트 웹사이트에서 해당 오픈타입 피처에 대한 정보를 볼 수 있으며, 어도비 FDK 피처, 오픈타입 쿡북(OpenType Cookbook)에서도 오픈타입 피처 코드에 대한 설명을 찾아볼 수 있다. 폰트를 내보내기 전에 피처 탭 아래의 컴파일을 클릭해야 폰트에 적용이 된다.

오픈타입 피처(OpenType Feature)

합자

두 개 이상의 글자를 이어 만든 글리프로, 주로 라틴 글리프가
서로 닿아서 어색해 보일 때 쓴다. 예컨대 소문자 'f' 다음에 'i, l,
b, h' 등이 나란히 오면 글자가 서로 부딪히는 경우가 있다. 이때
두 글리프를 이어 붙인 합자를 만든 뒤 타자했을 때 자동으로
대체되도록 오픈타입 피처를 작성할 수 있다.

상단 메뉴의 글리프 → 글리프 추가(Add Glyphs)를 하고,
새로운 합자 글리프의 이름은 두 글자 사이에 언더바를
입력해 'f_h'로 하면 'f, h'가 컴포넌트로 조합된 새 글리프가
생성된다. 조합된 컴포넌트는 마우스 오른쪽을 누르고
분해(Decompose)해 아웃라인으로 만든 다음 두 글리프를
연결한 합자를 그려 넣는다.

글리프 추가
글리프→
글리프 추가
[Shift-Cmd-G]

분해
[Shift-Cmd-D]

f, g   합자 f, g

합자를 위한 글리프를 만들었다면 폰트를 내보내기 전에
오픈타입 피처 코드를 생성해야 한다. 글리프 이름을 정확히
입력했다면 피처 코드가 자동으로 작성된다. 폰트 정보
[Cmd-I]의 피처 탭(Features)에서 왼쪽 아래 업데이트를
클릭하면 liga(표준 합자) 또는 dlig(사용자 지정 합자)가
생성된다. 'liga'는 'fi, fl' 같은 전통적인 기본 합자이고, 'dlig'는
별도로 사용자가 지정해 만든 임의 합자다. 예컨대 'f_h' 합자를
만들고 피처 코드를 업데이트하면 'sub f h by f_h'라는 코드가
생성된다. 이는 'f, h'를 연달아 타자했을 때 합자 'f_h'를
불러오는 코드다. 마지막으로 폰트를 내보내기 전에 컴파일을
클릭한다.

3.11

글립스 매뉴얼

오픈타입 피처가 제대로 작동하는지 확인하려면 편집뷰를
열어[Cmd-T] 합자가 포함된 단어를 타자해 본다. 예컨대
'flash'라고 쓰고 편집뷰 하단 '미리보기'의 왼쪽 아래 피처에서
합자(liga)를 선택한다. 작동하지 않는다면 합자 글리프 이름을
제대로 입력했는지 살펴보거나 피처 탭의 '피처 자동 생성'이
체크됐는지 확인하고 업데이트와 컴파일을 클릭한다.

스타일리스틱 세트

기본 글자 디자인 외에 다양한 스타일의 글리프를 추가해
사용자가 선택할 수 있도록 하는 오픈타입 피처 기능이다.
글꼴 디자이너는 한 글꼴에 다양한 형태를 담을 수 있고,
사용자는 원하는 콘셉트에 맞는 스타일을 직접 선택할 수 있다.

소문자 'g'를 더블 스토리(Double-story)와 싱글 스토리
(Single-story) 두 가지로 디자인해 보자. 기본 글리프에
더블 스토리 'g'를 그린다. 글리프를 복제[Cmd-D]해 뒤의
접미사를 ss01로 변경한 뒤 싱글 스토리 'g'를 그린다.

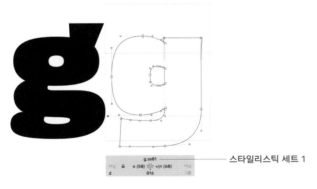

g.ss01 ──────── 스타일리스틱 세트 1

더블 스토리 g   싱글 스토리 g

폰트 정보[Cmd-I]의 피처 탭(Features)에서 왼쪽 아래
업데이트를 클릭하면 'ss01(스타일리스틱 세트 1)' 피처가
생성된다. 마지막으로 폰트를 내보내기 전에 컴파일을 클릭한다.
편집뷰 왼쪽 하단에서 피처 옆의 화살표를 클릭하고 'Stylistic
Set 1'을 선택해 피처가 제대로 적용됐는지 확인한다.

문맥에 따른 대체 문자

두 글리프가 만날 때 글자가 서로 부딪히거나 사이 공간이
고르지 않는 등의 문제를 해결하기 위해 문맥에 따라 '대체
문자'로 변경시키는 오픈타입 피처 기능이다.

예컨대 라틴 확장 문자에서 'î, ï' 등은 'f'와 만났을 때 서로
부딪히는 문제가 생긴다. 이를 해결하기 위해 터미널이 짧은
'f'를 하나 더 만들어 대체 문자로 지정해 줄 수 있다.

3.11

먼저 기본 'f'를 그리고, 글리프를 복제해[Cmd-D] 글리프 이름을
'f.short'로 한다. '문맥에 따른 대체 문자' 기능은 피처 코드를
직접 작성해야 한다. 폰트 정보[Cmd-I] 피처 탭(Features)의
왼쪽 메뉴의 '피처'의 +를 클릭하고 calt를 선택한다. ① 오른쪽
코드 입력 영역에서 'sub f' icircumflex by f.short;'를
입력한다. ② 이 코드에서 'f' 뒤의 수직 작은 따옴표(a single
straight quote)는 대체하려는 글리프를 표시한 것이다. ③ 같은
방법으로 대체가 필요한 모든 글리프는 반복해 코드를 작성한다.
코드 작성이 완료되면 왼쪽 아래의 업데이트와 컴파일을 누른다.
마지막으로 편집뷰 하단 '미리보기' 피처에서 '문맥에 따른 대체
문자'를 선택한다. ④ 모든 과정이 잘 진행됐다면 다음과 같이 'fa'
조합에서는 기본 'f'가 등장하고, 'fî'의 경우는 터미널이 짧아진
'f.short' 글리프로 대체된다.

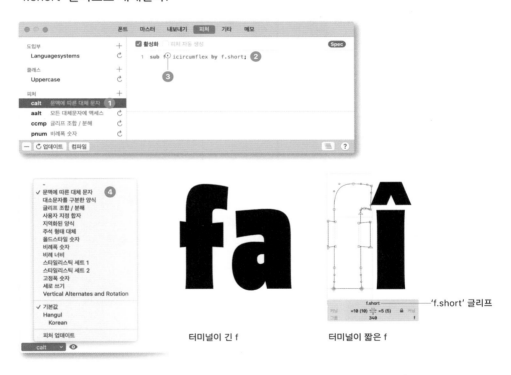

터미널이 긴 f

터미널이 짧은 f

'f.short' 글리프

대소문자 구분

라틴을 디자인할 때 대문자와 소문자의 크기와 무게중심이
다르기 때문에 그에 따라 문장부호의 위치나 형태가 달라질
수 있다. 예컨대 괄호 '( )'는 일반적으로 소문자의 무게중심을
기준으로 위치한다. 그러므로 대소문자의 문장부호를 함께
사용하면, 대문자에서는 괄호가 아래쪽으로 내려가 보인다.
이를 해결하기 위해 대소문자의 문장부호를 각각의 무게중심에
적합하게 만들어 주는 '대소문자 구분' 오픈타입 피처 기능을
이용할 수 있다.

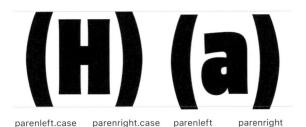

parenleft.case　　parenright.case　　parenleft　　　parenright

소문자와 대문자에 적용한 괄호 '( )'

예컨대 소문자용 괄호(parenleft)를 디자인한 뒤 대문자용
괄호를 추가로 만들어 보자. 새로운 글리프를 만들고(Cmd-G)
글리프 이름은 'parenleft.case'로 한다. 마우스 오른쪽 →
컴포넌트 불러오기(Add Component) 기능을 이용해 소문자
괄호를 불러온 뒤 대문자에 맞는 컴포넌트의 위치와 크기를
조절한다. 피처 코드 작업을 위해 폰트 정보[Cmd-I] →
피처 탭(Features) → 왼쪽 아래 업데이트를 클릭하면 자동으로
오픈타입 피처 코드가 작성된다.

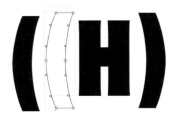

———— 대문자용 왼쪽 괄호 'parenleft.case'

3.11

폰트를 내보내기 전에 오픈타입 피처 코드를 폰트에 적용하기
위해 폰트 정보[Cmd-I] → 피처 탭에서 컴파일을 누르고
저장해야 한다. 다음으로 파일 → 내보내기(Export)[Cmd-E]를
해 폰트(otf)를 생성한다. 어도비 인디자인에서 잘 작동하는지
확인해 보자. 폰트를 설치하고 어도비 인디자인을 실행해 상단
메뉴에서 '모두 대문자' 버튼을 클릭했을 때 자동으로 대문자
괄호로 바뀌는지 확인한다.

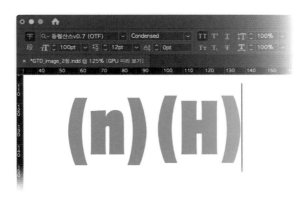

오픈타입 피처(OpenType Feature)

지역화 형태

오픈타입 피처의 '지역화 형태(Localized Forms)' 기능을
활용하면 크기, 높이, 위치 등을 조절한 각 언어에 어울리는
문장부호를 추가로 그려 넣을 수 있다. 특히 다국어를 지원하는
폰트에서는 문자마다 크기와 형태가 다르기 때문에 그에 알맞은
문장부호가 필요하다. 예컨대 라틴 글꼴의 경우 온점과 쉼표 등을
베이스라인에 맞추는데, 이 문장부호를 한글과 함께 사용할 경우
높이가 올라가 보인다.

한글과 라틴의 온점을 지역화 형태를 활용해 만들어 보자. 먼저
온점(period) 글리프에 '.'을 라틴에 어울리는 형태로 그린 다음,
글리프를 복제[Cmd-D]해 이름은 'period.loclKOR'로 지정한
뒤 크기와 위치를 한글에 어울리게 조정한다. 폰트 정보 → 피처
탭(Features)에서의 왼쪽 아래 업데이트를 클릭하면 자동으로
오픈타입 피처 코드가 작성된다.

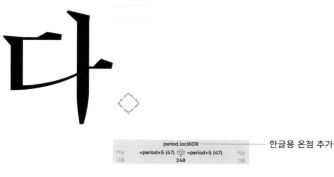

3.11

피처 탭의 'locl' 코드

다음으로 한글과 라틴의 쉼표를 지역화 형태를 활용해 만들어 보자.
'comma' 글리프에 쉼표를 그려 넣은 뒤 복제[Cmd-D]해 글리프
이름을 'comma.locIKOR'로 지정한다. 이 글리프를 다양한
'한글' 텍스트 사이에 두고 적당한 크기와 높이를 모색한다.
오픈타입 피처 코드를 생성하기 위해 폰트 정보[Cmd-I] →
피처 탭(Features) → (왼쪽 아래) 업데이트와 컴파일을
클릭한다. 폰트를 내보낸 뒤 인디자인의 문자 패널에서 언어
설정을 '한국어'*로 지정하고, 한글 문자에 맞는 대체 문장부호로
설정되는지 확인한다. 같은 방법으로 콜론(:), 괄호, 띄어쓰기
(space) 등도 한글에 어울리는 지역화 형태로 추가할 수 있다.

* 언어 목록에 '한국어'가
보이지 않는다면 인디자인의
언어 설정을 '한국어'로
설정한다.

세로쓰기

한글을 디자인할 때 가로쓰기와 세로쓰기 정렬을 모두
만족시키기 어려운 경우가 있다. 이럴 경우 오픈타입 피처를
이용해 세로쓰기용 대체 글리프를 추가할 수 있다. 예컨대
가로쓰기용 '하(ha-ko)'를 만들고, 글리프를 복제[Cmd-D]해
글리프 이름에 세로쓰기 접미사(vert)을 붙여 'ha-ko.vert'로
만든다. 하단의 미리보기에서 세로쓰기 버튼을 클릭하면 편집
모드가 세로형으로 바뀐다. 세로쓰기용 글꼴은 중성의 기둥에
따라 가지런하게 정렬하는 게 좋다. 가이드라인을 그려서 위아래
정렬을 가지런하게 맞추거나 필요한 경우 형태를 수정한다.

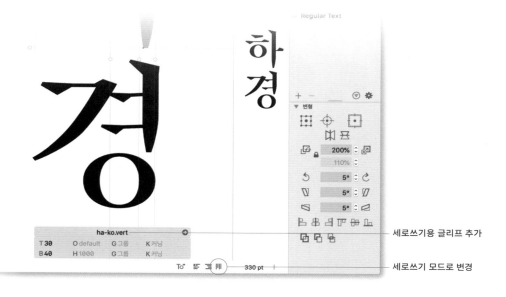

세로쓰기용 글리프 추가

세로쓰기 모드로 변경

3.11

접미사 '.vert'로 끝나는 세로쓰기용 글리프가 모두 준비되면
오픈타입 피처 코드를 작성해야 한다. 폰트 정보[Cmd-I]를 열고,
'피처 탭(Features)'에서 왼쪽 아래의 업데이트를 클릭한 뒤
컴파일을 클릭한다.

다양한 스타일 숫자

숫자의 종류는 크게 '올드스타일 숫자'와 '라이닝 숫자'가
있다. 올드스타일은 주로 라틴 타이포그래피에서 소문자와
함께 사용하고, 라이닝 숫자는 한글 또는 라틴 대문자와 함께
사용한다. 또한, 각각의 스타일은 비례폭과 고정폭으로 나뉜다.
비례폭은 숫자의 형태에 따라 너비가 달라진다. 예컨대 숫자 1은
숫자 0보다 폭이 좁다. 고정폭은 모든 숫자의 너비를 같게 한
것으로 열을 맞춰 표, 그래프를 그리거나 또는 프로그래밍 언어를
작성할 때 주로 사용한다.

0123456789

고정폭 올드스타일(Tabular Oldstyle)

0123456789

고정폭 라이닝(Tabular Lining)

0123456789

비례폭 올드스타일(Proportional Oldstyle)

0123456789

비례폭 라이닝(Proportional Lining)

In text figures, the shape and positioning of the
numerals vary as those of lowercase letters do.
In the most common scheme, 0, 1, and 2 are of
x-height, having neither ascenders nor descenders;
6 and 8 have ascenders; and 3, 4, 5, 7, and 9 have
descenders.

올드스타일 숫자 사용 예시

3.11

글립스에서 숫자를 추가하는 방법은 폰트뷰 왼쪽 카테고리에서
숫자 → 기본 숫자 → 마우스 오른쪽 → 전체 선택 → 생성한다.
예컨대 '둥켈산스'의 경우 제목용 폰트이고, 한글과 함께
사용되는 빈도수가 높기 때문에 높이와 폭이 일정한 고정폭
라이닝 숫자를 기본으로 그려 넣었다. 이처럼 '기본 숫자'는
폰트의 성격에 맞게 정할 수 있다.

숫자 추가하기
카테고리 →
숫자 →
기본 숫자 →
마우스 오른쪽 →
전체 선택[Cmd-A] →
생성

0123456789

둥켈산스의 기본 숫자

다음으로 올드스타일 숫자를 '오픈타입 피처'로 추가한다.
폰트뷰 왼쪽 카테고리에서 숫자 → 올드스타일 숫자 → 마우스
오른쪽 → 전체 선택 → 생성하고 숫자를 그려 넣는다. 올드스타일
숫자 글리프 이름은 접미사 '.osf'가 붙는다. 소문자와 나란히
놓고 굵기와 높이를 맞춰 그린다.

올드스타일 숫자 추가하기
카테고리 →
숫자 →
올드스타일 숫자 →
마우스 오른쪽 →
전체 선택[Cmd-A] →
생성

old style 2048

소문자와 올드스타일 숫자

기본 숫자 외에 숫자를 추가하면, 오픈타입 피처를 생성해야
한다. 파일 → 폰트 정보[Cmd-I] → 피처 탭(Features) → (왼쪽
아래) 업데이트를 클릭하면 자동으로 코드가 생성된다. 폰트를
내보내기 전에 컴파일을 클릭해 폰트에 적용한다. 같은 방법으로
다른 스타일의 숫자를 오픈타입 피처로 추가한다. 라이닝 숫자는
.lf, 라이닝 고정폭 숫자는 .tf, 올드스타일 고정폭 숫자는 .tosf의
접미사가 글리프 이름 뒤에 붙는다.

3.12
폰트 내보내기
Export

디자인 작업을 완료했다면 글립스 파일을 오픈타입(otf),
트루 타입(ttf), 웹폰트, 배리어블 폰트 등으로 내보낼 수 있다.
폰트를 내보내기 전에 오픈타입 피처 기능을 사용했다면 파일
→ 폰트 정보 → 피처 탭(Features)에서 업데이트(Update)와
컴파일(Compile)을 클릭해야 폰트에 적용된다. 상단 메뉴의
파일 → 내보내기(Export)를 하면 옵션 창이 나타난다.

오픈타입 피처 기능 적용
파일 →
폰트 정보 →
피처 탭 →
업데이트와 컴파일 클릭

폰트 내보내기
파일 →
내보내기[Cmd-E]

Outline Flavour / File Format
폰트의 아웃라인 성격을 PostScript/CFF(OTF) 또는 TrueType
(TTF) 중 선택한다. 웹폰트는 WOFF, WOFF2(Web Open Font
Format) 중 원하는 형식을 선택한다.

Options
아웃라인의 겹치는 부분을 삭제해 주는 오버랩 제거(Remove
Overlap)와 오토 힌트(Auto Hints)를 설정한다. 최종으로
출시하는 폰트는 오버랩 제거에 체크하는 게 좋다. 오토 힌트는
AFDKO* 오토 힌팅 알고리듬을 모든 글리프에 적용한다.
힌팅이 필요하지 않은 경우 체크를 해제하면 내보내는 시간을
줄일 수 있다.

* Adobe Font Development
Kit for OpenType의 약자이다.

내보내기 대상(Export Destination)

내보내기 대상에서 폰트를 저장할 폴더를 설정할 수 있다.
어도비 인디자인을 활용해 테스트할 경우 저장 위치를 어도비
인디자인 내 폰트 폴더*로 설정하면 인디자인에만 설치해
테스트해 볼 수 있다. 테스트로 설치하면 일시적으로 메모리에
저장된다. 컴퓨터를 재시작하면 저장된 테스트 폰트는 사라진다.

마지막으로 다음을 클릭하면 폰트를 저장할 수 있다. 그 밖에
내보내기 창의 상단 탭에서 배리어블 폰트, UFO** 형식,
메트릭스 데이터를 선택해 내보낼 수 있다.

* 응용 프로그램→Adobe
Indesign→Fonts

** UFO는 unified font
object의 약자로 서로 다른
플랫폼 또는 폰트 제작
프로그램과의 호환을 위한
파일 형식이다. 폰트 데이터를
코드의 형태로 읽을 수 있다.

3.12

3.13
플러그인 관리자
Plugin Manager

플러그인 관리자에서는 글립스의 기본 기능 외에 추가 기능을
사용할 수 있는 '플러그인', '스크립트'와 '모듈'을 설치할 수 있다.

플러그인

글립스 상단 메뉴의 창 → 플러그인 관리자(Plugin Manager)의
플러그인 탭에서 목록을 확인하고 설치할 수 있다. 예컨대
획의 굵기를 확인할 수 있는 '쇼 스템 시크너스(Show Stem
Thickness)', 아웃라인 오류를 빨간 화살표로 표시해 주는 '레드
애로(Red Arrow)', 재사용되는 컴포넌트를 모아서 보여 주는
'리사이클러(Recyclers)' 등 다양한 플러그인을 활용해 편리한
글립스 작업 환경을 만들 수 있다. 새로운 플러그인을 설치했다면
글립스를 다시 시작한다. 글립스 웹사이트에서도 다양한
플러그인을 소개하고 있다.*

플러그인 설치
창 →
플러그인 관리자 →
플러그인 설치

* https://glyphsapp.com/
resources

스크립트

상단 메뉴의 창 → 플러그인 관리자(Plugin Manager)의
스크립트 탭에서도 개발자들이 공유한 다양한 스크립트를
다운받을 수 있다. 또한 코드를 공유하는 플랫폼인 깃허브
(Github)에서 스크립트를 다운로드받아 활용할 수도 있다.
내려받은 스크립트 데이터를 상단 메뉴의 스크립트 → 스크립트
폴더 열기(Open Scripts Folder)를 해 폴더 안에 넣는다.
스크립트를 설치한 뒤에는 [Opt]를 누르면서 상단 메뉴의
스크립트 → 스크립트 새로고침(Reload Scripts)을 클릭하면
프로그램을 재시작할 필요 없이 스크립트가 새로고침된다.

스크립트 설치
스크립트 →
스크립트 폴더 열기

직접 스크립트를 작성하려면 글립스에서 제공하는 도큐먼트
(Python Scripting API Documentation)를 참고하자.* 글립스
상단 메뉴의 창 → 매크로 패널(Macro Panel)에서 코드를 바로
실행할 수 있다.

* https://docu.glyphsapp.com

모듈

플러그인과 스크립트를 사용할 때, 다음과 같은 추가 모듈을
설치해야 할 수 있다. 창 → 플러그인 관리자의 모듈 탭에서
파이선(Python), 바닐라(Vanilla), 폰트툴즈(FontTools)를
설치할 수 있다. 특히 파이선과 바닐라는 대부분의 스크립트와
플러그인에서 필요하기 때문에 설치하는 게 좋다.

팁: 문제가 생길 경우 창 →
매크로 패널을 확인하면 오류
메시지를 볼 수 있다. 또는 해당
개발자에게 문의하자.